쉽게 쓰고 잘 팔리는
책 만들기

지은이 **여여(如如) 안형렬**

말하지 않은 이야기를 마음속에 품고 있는 것보다 더 큰 고통은 없다.
There is no greater agony than bearing an untold story inside you.
마야 안젤루(Maya Angelou)

"꿈을 꾸는 사람들은 위대한 일들을 이룬다"

꿈을 향한 여정은
작은 씨앗을 심는 것에서 시작됩니다.
꾸준한 노력과 긍정적인 마음가짐으로
매일 조금씩 성장하세요.
실패를 두려워하지 말고, 도전과 배움을 통해
별빛처럼 빛나는 성과를 이루어내세요.
꿈을 향한 열정과 인내가 여러분을 성공의 길로 이끌 것입니다

쉽게 쓰고
잘 팔리는 책 만들기

발행: 2024년 06월 03일
지은이: 여여 (如如) 안형렬 (당태공)
편집: 최윤경 / 디자인: 최윤경

펴낸이: 한건희
펴낸곳: 주식회사 부크크
출판사등록: 2014.07.15.(제2014-16호)
주 소: 서울특별시 금천구 가산디지털1로 119 SK트윈타워 A동 305호
전 화: 1670-8316
전자우편: info@bookk.co.kr

ISBN 979-11-410-8793-7

차례

Part 03. 퇴고 후 책 편집 출판 준비

Part 04. 마케팅과 강의 및 후속작 준비

프롤로그 Prologue

안녕하세요, 독자 여러분. 이 책을 집어 든 그 순간부터 우리는 함께 글쓰기와 출판의 흥미진진한 여정을 시작하게 되었습니다. "쉽게 쓰고 잘 팔리는 책 만들기"는 단순히 글을 쓰고 출판하는 과정을 넘어, 여러분이 성공적인 저자로서의 길을 걷도록 돕기 위한 모든 것을 담고 있습니다.

글쓰기는 단순한 활동이 아닙니다. 그것은 자신의 생각과 감정을 표현하고, 세상과 소통하는 강력한 도구입니다. 많은 이들이 글쓰기를 어렵게 느끼지만, 올바른 방법과 전략을 알게 되면 글쓰기는 더 이상 두려움의 대상이 아니라, 창조와 표현의 즐거운 과정이 될 수 있습니다. 이 책은 여러분이 글쓰기를 더 편안하게, 더 창의적으로 접근할 수 있도록 도와줍니다.

이 책의 첫 장에서는 글쓰기의 중요성과 편안하게 글을 쓰는 방법을 배우게 됩니다. 글쓰기의 기초를 탄탄히 다진 후, 아이디어를 발굴하고 발전시키는 방법을 다룹니다. 이는 독창적인 글을 쓰기 위한 필수적인 과정입니다. 다음으로, 구조와 논리의 중요성을 이해하고, 독자의 마음을 사로잡는 글을 작성하는 방법을 배우게 될 것입니다.

글쓰기 과정이 끝나면, 우리는 퇴고와 윤리적 글쓰기의 중요성을 살펴볼 것입니다. 글을 완성하는 데 있어 퇴고는 필수적이며, 정확하고 윤리적인 글쓰기는 독자의 신뢰를 얻는 데 중요합니다. 저작권 이해와 책임 있는 글쓰기 원칙도 이 과정에서 다루게 됩니다.

출판과 마케팅은 저자로서의 성공을 완성하는 중요한 단계입니다. 출판사 선택, 계약 이해, 배포 전략, 저자 브랜딩 등 출판의 모든 과정을 체계적으로 설명하며, 효과적인 마케팅 전략을 통해 책이 더 많은 독자에게 다가갈 수 있도록 도울 것입니다. 강의와 후속작 준비를 통해 여러분의 저자로서의 여정을 지속적으로 발전시키는 방법도 함께 배울 수 있습니다.

이 책은 여러분이 글쓰기와 출판의 모든 단계를 자신 있게 밟아 나가도록 돕기 위해 작성되었습니다. 여러분이 이 책을 통해 얻은 지식을 실천에 옮기고, 자신의 이야기를 세상에 전하는 데 큰 도움이 되기를 바랍니다. 글쓰기는 끊임없는 배움과 도전의 연속입니다. 이 책이 여러분의 글쓰기 여정에 든든한 가이드가 되기를 진심으로 기원합니다.

이제, 글쓰기와 출판의 여정에 오신 것을 환영하며, 함께 이 흥미진진한 여행을 시작해 봅시다. 여러분의 성공적인 저자로서의 활동을 응원합니다. 건투를 빕니다!

Part

01

책과
출판시장에 대한
이해

제 1 장

꿈꾸는 책
팔리는 책

책을 잘 쓰고 팔기 위해서는 자신의 강점을 찾아 활용하고, 목표 독자를 설정한 후 그들의 요구와 관심사를 파악해야 합니다. 독자층 분석, 페르소나 설정, 경쟁 도서 분석, 시장 트렌드 파악, 지속적인 학습, 전문가와의 네트워킹, 실전 경험, 피드백을 통한 자기 개선, 그리고 독창성 유지가 중요합니다.

1. 첫 걸음 내딛기: 글쓰기의 여정

글쓰기의 중요성 이해하기

글쓰기는 생각과 아이디어를 체계적으로 표현하는 중요한 도구입니다. 글쓰기를 통해 우리는 자신의 생각을 정리하고, 다른 사람과 효과적으로 소통할 수 있습니다. 글쓰기는 창의력과 논리력을 동시에 요구하는 작업으로, 이를 통해 개인의 사고력을 향상시킬 수 있습니다. 또한 글쓰기는 학습과 지식의 확장을 돕는 중요한 수단입니다. 글을 쓰면서 우리는 새로운 지식을 탐구하고, 자신의 관점을 넓힐 수 있습니다. 글쓰기의 중요성을 이해하는 것은 효과적인 글쓰기를 위한 첫 걸음입니다.

글쓰기는 개인의 성장과 발전에 중요한 역할을 합니다. 글쓰기를 통해 우리는 자신의 경험과 지식을 반추하고, 이를 통해 자신을 더 깊이 이해할 수 있습니다. 글쓰기는 또한 자기 표현의 도구로, 자신의 생각과 감정을 표현하는 방법을 배울 수 있습니다. 이를 통해 우리는 자신감을 키우고, 더 나은 의사소통 능력을 갖출 수 있습니다. 글쓰기는 단순한 기술이 아니라, 우리의 삶을 풍요롭게 만드는 중요한 활동입니다.

글쓰기는 또한 사회적 관계를 형성하는 중요한 수단입니다. 글을 통해 우리는 다른 사람과의 공감대를 형성하고, 더 깊은 이해와 소통을 이룰 수 있습니다. 글쓰기는 사람들 간의 관계를 강화하고, 공동체 의식을 높이는 데 기여합니다. 글쓰기를 통해 우리는 다양한 관점을 접하고, 이를 통해 더 넓은 시야를 가질 수 있습니다. 이는 사회적 관계를 강화하는 데 중요한 역할을 합니다.

글쓰기는 또한 직업적 성공에 중요한 역할을 합니다. 현대 사회에서 효과적인 글쓰기 능력은 다양한 분야에서 요구됩니다. 글쓰기를 통해 우리는 자신의 전문성을 표현하고, 더 나은 직업적 기회를 얻을 수 있습니다. 글쓰기는 보고서 작성, 이메일 커뮤니케이션, 프레젠테이션 등 다양한 업무에서 중요한 역할을 합니다. 따라서 글쓰기 능력을 향상시키는 것은 직업적 성공을 위한 중요한 준비입니다.

마지막으로, 글쓰기는 정신 건강에 긍정적인 영향을 미칩니다. 글쓰기를 통해 우리는 스트레스를 해소하고, 감정을 표현하며, 마음의 안정을 찾을 수 있습니다. 글쓰기는 자기 성찰의 도구로, 이를 통해 우리는 자신의 감정을 더 잘 이해하고, 건강한 방식으로 표현할 수 있습니다. 이는 전반적인 정신 건강을 개선하는 데 중요한 역할을 합니다. 글쓰기의 중요성을 이해하는 것은 건강하고 행복한 삶을 위한 첫 걸음입니다.

편안하게 글을 쓰는 방법

편안하게 글을 쓰는 방법은 글쓰기를 즐겁고 부담 없이 만드는 데 중점을 둡니다. 먼저, 글쓰기를 일상화하는 것이 중요합니다. 매일 일정 시간을 정해 글을 쓰는 습관을 들이면 글쓰기가 자연스러워지고, 점차 부담이 줄어듭니다. 글쓰기를 시작할 때는 완벽함을 추구하지 말고, 자유롭게 생각을 표현하는 것이 중요합니다. 초기 단계에서는 글의 구조나 문법보다는 아이디어를 떠올리고, 이를 표현하는 데 집중하는 것이 좋습니다.

환경도 중요한 요소입니다. 글쓰기에 적합한 편안한 장소를 마련하면 집중력이 향상되고, 글쓰기가 더 즐거워집니다. 조용한 카페나 집의 한적한 공간 등 자신에게 맞는 환경을 찾아보세요. 또한, 글을 쓰기 전 간단한 스트레칭이나 명상 등을 통해 몸과 마음을 릴렉스 시키는 것도 도움이 됩니다. 이는 긴장을 풀어주고, 더 창의적이고 편안한 상태에서 글을 쓸 수 있게 합니다.

글쓰기 도구를 다양하게 활용하는 것도 편안한 글쓰기를 돕습니다. 디지털 기기나 종이와 펜 등 자신에게 맞는 도구를 선택해보세요. 특정 앱이나 프로그램을 사용해 글쓰기를 도와주는 것도 좋은 방법입니다. 또한, 글쓰기 과정을 시각적으로 정리할 수 있는 마인드맵이나 다이어그램을 활용하면 아이디어를 더 쉽게 정리하고, 글쓰기에 대한 부담을 줄일 수 있습니다.

작은 목표를 설정하고, 이를 달성하는 것도 글쓰기를 편안하게 만듭니다. 하루에 일정량의 글을 쓰기로 목표를 정하고, 이를 꾸준히 실천해보세요. 작은 성취감이 쌓이면서 글쓰기에 대한 자신감이 생기고, 점차 더 긴 글을 쓰는 데도 어려움이 없어집니다. 처음에는 짧은 문단이나 일기처럼 가벼운 글쓰기로 시작해 점차 분량을 늘려가는 것이 좋습니다.

마지막으로, 피드백을 받아보는 것도 편안한 글쓰기에 도움이 됩니다. 주변의 친구나 가족에게 글을 보여주고, 그들의 피드백을 받아보세요. 이를 통해 글쓰기의 방향을 점검하고, 개선할 점을 찾을 수 있습니다. 피드백을 통해 자신의 글쓰기에 대한 객관적인 시각을 가질 수 있으며, 이는 글쓰기에 대한 자신감을 높여줍니다. 피드백을 적극적으로 수용하고, 이를 반영해 글을 수정하는 과정에서 글쓰기 실력이 향상됩니다.

성공적인 글쓰기 습관 형성

성공적인 글쓰기 습관을 형성하는 것은 꾸준한 연습과 계획이 필요합니다. 첫째, 글쓰기를 위한 일정을 정하고 이를 지키는 것이 중요합니다. 매일 정해진 시간에 글을 쓰는 습관을 들이면, 글쓰기가 일상 생활의 일부가 됩니다. 이는 글쓰기 능력을 꾸준히 향상시키는 데 도움이 됩니다. 정해진 시간 동안 글쓰기에만 집중하고, 다른 활동은 배제하여 글쓰기에 몰두할 수 있는 환경을 만드는 것이 좋습니다.

둘째, 목표를 설정하고 이를 달성하는 것이 중요합니다. 글쓰기 목표를 구체적으로 설정하고, 이를 달성하기 위해 노력해보세요. 예를 들어, 하루에 500자 쓰기, 일주일에 한 편의 글 완성하기 등의 목표를 세울 수 있습니다. 목표를 달성할 때마다 작은 성취감을 느끼며, 이는 글쓰기에 대한 동기부여를 지속시키는 데 도움이 됩니다. 목표를 달성하지 못했을 때도 자책하지 말고, 꾸준히 시도하는 것이 중요합니다.

셋째, 다양한 글쓰기 연습을 통해 글쓰기 능력을 향상시키는 것이 중요합니다. 일기 쓰기, 에세이 작성, 소설 쓰기 등 다양한 형식의 글쓰기를 시도해보세요. 이를 통해 다양한 글쓰기 스타일을 익히고, 자신의 글쓰기 능력을 다각도로 발전시킬 수 있습니다. 또한, 다양한 주제에 대해 글을 쓰면서 창의력과 사고력을 키울 수 있습니다.

다양한 글쓰기 연습은 글쓰기에 대한 흥미를 유지하고, 글쓰기 실력을 향상시키는 데 큰 도움이 됩니다.

넷째, 피드백을 받아보는 것도 중요합니다. 글을 쓰고 나서 주변 사람들에게 피드백을 요청해보세요. 객관적인 시각에서 자신의 글을 평가받는 것은 글쓰기 실력을 향상시키는 데 큰 도움이 됩니다. 피드백을 통해 자신의 강점과 약점을 파악하고, 이를 개선해 나갈 수 있습니다. 또한, 피드백을 통해 새로운 아이디어를 얻고, 글쓰기에 대한 영감을 받을 수 있습니다.

마지막으로, 글쓰기를 즐기는 것이 중요합니다. 글쓰기를 단순한 작업이 아닌 즐거운 활동으로 받아들여보세요. 글쓰기를 통해 자신의 생각을 표현하고, 창의적인 아이디어를 나누는 과정에서 즐거움을 느껴보세요. 글쓰기를 즐기면 자연스럽게 글쓰기 습관이 형성되고, 글쓰기 능력이 향상됩니다. 글쓰기를 통해 자신의 생각을 정리하고, 이를 통해 성장하는 경험을 즐겨보세요.

글쓰기로 시작하는 창의적 여행

글쓰기는 창의적인 사고를 촉진하는 중요한 도구입니다. 글쓰기를 통해 우리는 자유롭게 아이디어를 표현하고, 새로운 관점을 탐구할 수 있습니다. 창의적인 글쓰기를 시작하려면 먼저 고정관념을 버리고, 열린 마음으로 다양한 주제를 탐구하는 것이 중요합니다. 일상적인 경험을 색다른 시각으로 바라보고, 이를 글로 표현하는 연습을 해보세요. 이를 통해 우리는 더 창의적이고 독창적인 글을 쓸 수 있습니다.

창의적인 글쓰기를 위해서는 다양한 영감을 찾는 것도 중요합니다. 책, 영화, 음악 등 다양한 예술 작품에서 영감을 얻을 수 있습니다. 또한, 자연 속에서 산책을 하거나, 새로운 장소를 여행하는 등 다양한 경험을 통해 창의적인 아이디어를 얻을 수 있습니다. 일상의 작은 경험도 글쓰기의 소중한 소재가 될 수 있으므로, 이를 놓치지 않고 기록해보세요. 이러한 경험을 통해 우리는 더 풍부한 글을 쓸 수 있습니다.

글쓰기를 창의적인 여행으로 만들기 위해서는 자유로운 글쓰기를 연습해보세요. 특정 주제나 형식에 구애받지 않고, 마음껏 생각을 표현하는 자유로운 글쓰기는 창의성을 높이는 데 큰 도움이 됩니다. 자유로운 글쓰기를 통해 우리는 자신의 생각을 더 깊이 탐구하고, 새로운 아이디어를 발견할 수 있습니다. 이를 통해 글쓰기는 단순한 작업을 넘어 창의적인 표현의 수단이 됩니다.

또한, 글쓰기를 통해 자신을 표현하는 방법을 배워보세요. 자신의 감정과 생각을 글로 표현하는 것은 창의적인 글쓰기를 위한 중요한 과정입니다. 이를 통해 우리는 더 깊은 자기 이해와 성찰을 이룰 수 있습니다. 글쓰기를 통해 자신의 내면을 탐구하고, 이를 바탕으로 창의적인 아이디어를 발전시킬 수 있습니다. 이는 글쓰기를 통해 자신을 표현하는 데 큰 도움이 됩니다.

마지막으로, 창의적인 글쓰기를 위해서는 끊임없이 시도하고, 실험하는 자세가 필요합니다. 새로운 형식이나 스타일을 시도해보고, 다양한 주제에 대해 글을 써보세요. 이를 통해 우리는 글쓰기의 다양한 가능성을 탐구하고, 창의적인 표현을 발전시킬 수 있습니다. 글쓰기는 끊임없는 시도와 실험을 통해 발전하는 과정이므로, 이를 두려워하지 말고 도전해보세요. 이는 창의적인 글쓰기를 위한 중요한 단계입니다.

글쓰기의 기쁨 발견하기

글쓰기는 우리에게 많은 기쁨을 선사하는 활동입니다. 글쓰기를 통해 우리는 자신의 생각을 자유롭게 표현하고, 창의적인 아이디어를 나눌 수 있습니다. 글을 쓰면서 우리는 자신의 내면을 탐구하고, 이를 통해 자신을 더 깊이 이해할 수 있습니다. 글쓰기는 자기 표현의 도구로, 이를 통해 우리는 자신의 감정과 생각을 자유롭게 표현할 수 있습니다. 이는 글쓰기를 통해 얻을 수 있는 큰 기쁨 중 하나입니다.

또한, 글쓰기는 학습과 지식의 확장을 돕는 중요한 수단입니다. 글을 쓰면서 우리는 새로운 지식을 탐구하고, 이를 통해 자신의 관점을 넓힐 수 있습니다. 글쓰기를 통해 우리는 더 깊이 생각하고, 이를 통해 더 나은 이해를 이룰 수 있습니다. 새로운 주제에 대해 글을 쓰는 과정에서 우리는 많은 것을 배우고, 이를 통해 지식을 확장할 수 있습니다. 이는 글쓰기를 통해 얻을 수 있는 또 다른 큰 기쁨입니다.

글쓰기는 또한 창의적인 표현의 도구입니다. 글을 쓰면서 우리는 다양한 아이디어를 자유롭게 표현하고, 이를 통해 창의성을 발휘할 수 있습니다. 창의적인 글쓰기를 통해 우리는 자신의 독창적인 생각을 나누고, 이를 통해 다른 사람들과 소통할 수 있습니다. 이는 글쓰기를 통해 얻을 수 있는 큰 즐거움 중 하나입니다. 창의적인 글쓰기는 우리에게 많은 기쁨을 선사합니다.

글쓰기는 또한 사회적 관계를 형성하는 중요한 수단입니다. 글을 통해 우리는 다른 사람과의 공감대를 형성하고, 더 깊은 이해와 소통을 이룰 수 있습니다. 글쓰기는 사람들 간의 관계를 강화하고, 공동체 의식을 높이는 데 기여합니다. 글쓰기를 통해 우리는 다양한 관점을 접하고, 이를 통해 더 넓은 시야를 가질 수 있습니다. 이는 사회적 관계를 강화하는 데 중요한 역할을 합니다. 글쓰기를 통해 얻을 수 있는 큰 기쁨 중 하나입니다.

마지막으로, 글쓰기는 정신 건강에 긍정적인 영향을 미칩니다. 글쓰기를 통해 우리는 스트레스를 해소하고, 감정을 표현하며, 마음의 안정을 찾을 수 있습니다. 글쓰기는 자기 성찰의 도구로, 이를 통해 우리는 자신의 감정을 더 잘 이해하고, 건강한 방식으로 표현할 수 있습니다. 이는 전반적인 정신 건강을 개선하는 데 중요한 역할을 합니다. 글쓰기를 통해 얻을 수 있는 큰 기쁨 중 하나입니다.

2. 명작과 베스트셀러의 경계 넘기

좋은 책의 특징 파악하기

좋은 책의 특징은 주로 내용의 깊이와 독창성에서 비롯됩니다. 내용이 깊다는 것은 독자가 읽으면서 새로운 인사이트를 얻고, 생각의 폭을 넓힐 수 있다는 의미입니다. 좋은 책은 주제에 대한 철저한 연구와 저자의 독특한 관점이 반영된 결과물입니다. 독창성 또한 중요한 요소로, 기존의 아이디어를 반복하는 것이 아니라 새로운 시각을 제시하는 책이 독자들에게 더 큰 영향을 미칩니다. 이러한 특징을 갖춘 책은 시간이 지나도 독자들에게 오랫동안 사랑받습니다.

또한, 좋은 책은 독자와의 공감대를 형성할 수 있어야 합니다. 이는 책의 내용이 독자들의 경험이나 감정에 깊이 관련될 때 가능합니다. 독자가 자신의 경험과 연결점을 찾을 수 있는 책은 더 큰 감동을 줄 수 있으며, 이는 독자가 책을 반복해서 읽게 만드는 요인이 됩니다. 공감대는 독자와 저자 사이의 정서적 유대감을 형성하여, 독자가 책을 더 깊이 이해하고 기억하게 만듭니다.

문체와 글의 흐름도 좋은 책을 구성하는 중요한 요소입니다. 잘 쓰여진 책은 문장이 자연스럽고, 내용의 전개가 논리적이며 일관성이 있습니다. 독자가 읽기에 편안한 문체와 구조는 독서의 즐거움을 더해줍니다. 또한, 문체가 독특하고 매력적일 때 독자는 저자의 목소리에 더 쉽게 빠져들 수 있습니다. 이러한 글쓰기 기술은 독자가 책을 쉽게 읽고 이해할 수 있도록 도와줍니다.

좋은 책은 또한 시의성을 갖추고 있어야 합니다. 이는 책이 출간되는 시점의 사회적, 문화적 흐름과 관련이 있다는 의미입니다. 독자들은 현재의 이슈와 관련된 내용을 다루는 책에 더 큰 관심을 갖습니다. 따라서, 저자는 사회적 변화와 트렌드를 주의 깊게 관찰하고, 이를 반영한 주제를 선택하는 것이 좋습니다. 이는 책이 더 많은 독자들에게 어필하고, 시기적절한 내용을 제공할 수 있게 합니다.

마지막으로, 좋은 책은 저자의 진정성이 담겨 있어야 합니다. 독자는 책을 통해 저자의 진솔한 마음과 열정을 느낄 수 있을 때 더 큰 감동을 받습니다. 저자가 자신의 경험과 감정을 솔직하게 담아낸 책은 독자들에게 더 큰 신뢰를 얻을 수 있습니다. 진정성은 저자와 독자 사이의 깊은 연결을 만들어내며, 이는 독자들이 책을 더 오래 기억하게 하는 중요한 요소입니다.

잘 팔리는 책의 요소 분석

잘 팔리는 책의 요소는 첫째로, 매력적인 제목과 표지 디자인입니다. 독자는 책을 선택할 때 첫인상에 크게 영향을 받습니다. 제목은 책의 내용을 함축적으로 전달하면서도 독자의 호기심을 자극해야 합니다. 표지 디자인 또한 중요합니다. 시각적으로 눈에 띄고, 책의 분위기와 내용을 잘 표현하는 표지는 독자들의 관심을 끌고, 구매 욕구를 자극합니다. 이는 잘 팔리는 책이 가져야 할 기본적인 요소입니다.

둘째로, 잘 팔리는 책은 명확한 타겟 독자를 설정하고 있어야 합니다. 특정 독자층을 겨냥한 책은 그들의 필요와 관심사를 정확히 반영할 수 있습니다. 타겟 독자층이 명확할수록 마케팅 전략을 효과적으로 수립할 수 있으며, 이는 판매로 직결됩니다. 독자의 연령대, 성별, 직업, 관심사 등을 고려한 타겟팅은 책의 성공에 중요한 역할을 합니다.

셋째로, 이야기의 흡입력과 전개 방식이 중요합니다. 잘 팔리는 책은 독자가 첫 페이지부터 마지막 페이지까지 몰입할 수 있도록 강력한 서사와 흥미진진한 전개를 제공합니다. 긴장감 넘치는 플롯, 감정적인 공감 요소, 예측 불가능한 전개는 독자들이 책을 손에서 놓을 수 없게 만듭니다. 이는 독자들의 입소문을 타고 더 많은 사람들에게 알려질 수 있는 중요한 요소입니다.

넷째로, 잘 팔리는 책은 시의성을 갖추고 있습니다. 현재의 사회적, 문화적 트렌드와 맞물리는 주제는 독자들에게 큰 관심을 받습니다. 예를 들어, 환경 문제, 기술 혁신, 사회적 이슈 등 현대인이 공감할 수 있는 주제를 다룬 책은 더 많은 주목을 받습니다. 시의성 있는 주제는 미디어와의 연계도 용이하게 만들어 책의 홍보에 큰 도움이 됩니다.

마지막으로, 강력한 마케팅 전략이 필요합니다. 아무리 좋은 내용의 책이라도 효과적인 마케팅이 없으면 독자들에게 다가가기 어렵습니다. 소셜 미디어, 블로그, 유튜브 등 다양한 채널을 통해 책을 홍보하고, 독자들과의 소통을 강화하는 것이 중요합니다. 독자 이벤트, 서평 모집, 저자 인터뷰 등 다양한 마케팅 활동을 통해 책의 인지도를 높이고, 판매를 촉진할 수 있습니다.

성공적인 책의 비밀 찾기

성공적인 책의 비밀은 독자와의 강한 연결에서 시작됩니다. 독자가 책을 통해 무엇을 얻고 싶어 하는지 이해하고, 그 기대를 충족시키는 것이 중요합니다. 이는 독자의 필요와 관심사를 반영한 내용을 제공하는 것으로 이루어집니다. 독자들이 자신의 문제를 해결하거나 새로운 지식을 얻을 수 있는 책은 자연스럽게 성공할 가능성이 높습니다. 독자 중심의 접근이 성공적인 책의 핵심입니다.

또한, 성공적인 책은 저자의 진정성과 열정을 담고 있습니다. 독자는 책을 통해 저자의 진심을 느끼고, 이에 깊이 공감하게 됩니다. 저자의 경험과 감정을 솔직하게 담아낸 글은 독자들에게 큰 감동을 줄 수 있습니다. 이는 독자와 저자 사이의 신뢰를 형성하고, 책의 성공으로 이어집니다. 진정성 있는 글쓰기는 독자들에게 지속적인 인상을 남깁니다.

적절한 마케팅 전략도 성공적인 책의 중요한 요소입니다. 책이 출간된 후, 효과적인 마케팅 활동을 통해 독자들에게 책을 알리는 것이 필요합니다. 소셜 미디어, 블로그, 이메일 마케팅 등 다양한 채널을 활용하여 책의 인지도를 높이고, 독자들과의 소통을 강화합니다. 또한, 독자 이벤트, 서평 모집, 저자 인터뷰 등 다양한 방법으로 독자들의 관심을 끌어야 합니다. 적극적인 마케팅은 책의 성공을 도모하는 필수 요소입니다.

책의 품질 또한 성공적인 책의 중요한 비결입니다. 내용뿐만 아니라 편집, 디자인, 인쇄 품질 등 모든 면에서 높은 기준을 유지하는 것이 중요합니다. 독자들은 시각적으로도 만족스러운 책을 원하며, 이는 책의 첫인상을 결정짓는 중요한 요소입니다. 잘 편집된 문장, 아름다운 디자인, 고품질의 인쇄는 독자들에게 긍정적인 인상을 주고, 책의 가치를 높입니다.

마지막으로, 독자들과의 지속적인 관계를 유지하는 것이 중요합니다. 책이 출간된 후에도 독자들과의 소통을 계속 이어가야 합니다. 독자 피드백을 적극적으로 반영하고, 독자들과의 교감을 통해 지속적인 관심을 유도합니다. 이는 후속작의 성공에도 큰 도움이 됩니다. 독자들과의 지속적인 관계 유지는 저자의 브랜드 가치를 높이고, 책의 장기적인 성공을 보장합니다.

베스트셀러의 공통점 이해하기

베스트셀러는 다양한 공통점을 가지고 있습니다. 첫째, 베스트셀러는 항상 독자의 관심을 끌 수 있는 강력한 주제를 가지고 있습니다. 이러한 주제는 독자들의 일상적인 문제나 관심사를 반영하며, 그들이 쉽게 공감할 수 있도록 합니다. 예를 들어, 자기계발, 건강, 경제, 심리학 등 다양한 주제는 독자들의 큰 관심을 받습니다. 주제가 독자들에게 직접적인 혜택을 줄 수 있다면 베스트셀러가 될 가능성이 높습니다.

둘째, 베스트셀러는 강력한 서사 구조를 가지고 있습니다. 이야기의 시작부터 끝까지 독자들을 끌어당기고, 계속해서 읽고 싶게 만드는 요소들이 가득합니다. 예를 들어, 흥미진진한 플롯 전개, 긴장감 넘치는 장면, 감동적인 순간 등은 독자들을 책에 몰입하게 만듭니다. 이러한 요소들은 독자들의 입소문을 통해 더 많은 사람들에게 책을 알리는 데 큰 역할을 합니다.

셋째, 베스트셀러는 항상 독자의 피드백을 적극적으로 반영합니다. 독자들의 의견을 듣고, 이를 바탕으로 책을 수정하거나 개선하는 과정이 포함됩니다. 이는 독자들과의 강한 유대감을 형성하게 하며, 책의 질을 높이는 데 중요한 역할을 합니다. 독자들의 피드백을 적극적으로 수용하는 저자는 독자들의 신뢰를 얻고, 이는 책의 성공으로 이어집니다.

넷째, 베스트셀러는 효과적인 마케팅 전략을 가지고 있습니다. 출판 전후로 다양한 채널을 통해 독자들에게 책을 알리고, 그들의 관심을 유도합니다. 소셜 미디어, 블로그, 유튜브, 팟캐스트 등 다양한 매체를 활용하여 책의 인지도를 높이고, 독자들과의 소통을 강화합니다. 적극적인 마케팅 활동은 책의 초기 판매를 촉진하고, 장기적인 성공을 보장합니다.

마지막으로, 베스트셀러는 시의성을 가지고 있습니다. 현재의 사회적, 문화적 흐름과 맞물리는 주제를 다루는 책은 독자들에게 큰 관심을 받습니다. 예를 들어, 최신 기술, 사회적 이슈, 트렌드 등은 독자들의 큰 관심을 끌 수 있는 주제입니다. 시의성을 가진 책은 더 많은 미디어의 주목을 받을 수 있으며, 이는 책의 홍보와 판매에 큰 도움이 됩니다.

독자가 원하는 것 알아내기

독자가 원하는 것을 알아내기 위해서는 먼저 독자의 필요와 욕구를 철저히 이해하는 것이 중요합니다. 이는 독자 조사를 통해 이루어질 수 있습니다. 설문 조사, 인터뷰, 포커스 그룹 등 다양한 방법을 통해 독자들이 어떤 주제에 관심이 있는지, 어떤 문제를 해결하고 싶은지 파악할 수 있습니다. 이를 통해 저자는 독자들이 원하는 내용을 정확히 파악하고, 이를 반영한 글을 쓸 수 있습니다.

독자의 요구를 파악하기 위해서는 독자들의 피드백을 적극적으로 수용하는 것이 중요합니다. 책을 출간한 후 독자들의 의견을 듣고, 이를 바탕으로 개선할 점을 찾는 것이 필요합니다. 독자들이 어떤 부분에서 만족했는지, 어떤 부분에서 불만을 느꼈는지를 파악하여 다음 책에 반영할 수 있습니다. 이는 독자들과의 신뢰를 형성하고, 책의 품질을 높이는 데 중요한 역할을 합니다.

또한, 독자와의 소통을 강화하는 것이 중요합니다. 소셜 미디어, 블로그, 이메일 등을 통해 독자들과의 소통을 지속적으로 유지해야 합니다. 독자들이 직접 저자에게 질문을 하거나, 의견을 제시할 수 있는 창구를 마련하면, 독자들의 요구를 더 잘 파악할 수 있습니다. 이는 독자들과의 관계를 강화하고, 그들의 요구를 충족시키는 데 큰 도움이 됩니다.

독자들이 원하는 것은 항상 변화할 수 있습니다. 따라서, 저자는 사회적, 문화적 트렌드를 주의 깊게 관찰하고, 이를 반영해야 합니다. 최신 트렌드를 반영한 주제는 독자들에게 큰 관심을 받을 수 있습니다. 예를 들어, 현재 유행하는 주제나 이슈를 다루는 책은 더 많은 독자들의 관심을 끌 수 있습니다. 트렌드를 반영한 주제 선택은 책의 성공에 중요한 요소입니다.

마지막으로, 독자들이 원하는 것은 단순한 정보 제공을 넘어 감동과 영감을 주는 내용입니다. 독자들은 책을 통해 새로운 아이디어를 얻고, 감동을 느끼며, 자신의 삶에 긍정적인 변화를 가져오기를 원합니다. 따라서, 저자는 독자들에게 감동과 영감을 줄 수 있는 내용을 제공하는 것이 중요합니다. 이는 독자들이 책을 통해 큰 만족감을 느끼고, 책을 추천하게 만드는 중요한 요소입니다.

3. 내 전문 분야 찾기: 나만의 길

나의 강점을 발견하기

　나의 강점을 발견하는 것은 성공적인 책을 쓰기 위한 첫 단계입니다. 자신의 강점을 파악하기 위해 먼저 자신이 잘하는 것과 좋아하는 것을 구분해보는 것이 필요합니다. 이는 글쓰기에 있어서도 중요한 요소입니다. 자신이 잘하는 분야에서 글을 쓸 때 더 많은 열정과 에너지를 쏟을 수 있으며, 이는 자연스럽게 글의 질을 높이는 결과로 이어집니다. 자신이 좋아하는 주제는 글쓰기에 대한 동기부여를 유지하는 데 큰 도움이 됩니다.

　강점을 발견하는 또 다른 방법은 주변 사람들의 피드백을 받는 것입니다. 친구, 가족, 동료 등 주변 사람들에게 자신의 강점을 물어보세요. 그들의 시각에서 본 나의 장점은 내가 미처 인식하지 못한 부분을 발견하는 데 큰 도움이 됩니다. 또한, 다양한 피드백을 통해 공통적으로 언급되는 강점을 파악할 수 있으며, 이는 자신이 글쓰기에서 집중해야 할 핵심 영역을 설정하는 데 유용합니다.

　자기 성찰을 통해 강점을 찾는 것도 중요합니다. 과거의 경험을 돌아보며 성공적이었던 순간과 그때 발휘된 능력을 분석해보세요. 이러한 과정을 통해 자신이 어떤 상황에서 가장 뛰어난 성과를 냈는지, 어떤 능력이 그 성과를 이끌었는지를 명확히 할 수 있습니다. 자기 성찰은 자신을 객관적으로 바라보고, 강점을 더욱 강화할 수 있는 방법을 찾는 데 중요한 과정입니다.

자기 계발 도구를 활용하는 것도 강점을 발견하는 데 도움이 됩니다. 예를 들어, SWOT 분석(SWOT Analysis)을 통해 자신의 강점(Strengths), 약점(Weaknesses), 기회(Opportunities), 위협(Threats)을 체계적으로 분석할 수 있습니다. 이러한 분석은 자신이 글쓰기에 적합한 강점을 명확히 하고, 이를 바탕으로 글쓰기 전략을 수립하는 데 큰 도움이 됩니다. 자기 계발 도구를 활용하면 보다 체계적으로 강점을 파악할 수 있습니다.

마지막으로, 다양한 경험을 통해 강점을 발견해보세요. 새로운 분야에 도전하고, 다양한 글쓰기를 시도하는 과정에서 자신이 특히 잘하는 부분을 발견할 수 있습니다. 이러한 경험은 강점을 강화하는 데도 큰 도움이 됩니다. 다양한 글쓰기 경험을 통해 자신이 어떤 주제와 형식에서 가장 뛰어난 능력을 발휘하는지 파악하고, 이를 바탕으로 글쓰기에 집중해보세요. 이는 성공적인 책을 쓰는 데 중요한 출발점이 됩니다.

타겟 독자 설정하기

타겟 독자를 설정하는 것은 책의 성공에 중요한 요소입니다. 첫째로, 타겟 독자를 설정하기 위해서는 먼저 자신이 다루고자 하는 주제와 관련된 독자층을 정의해야 합니다. 예를 들어, 자기계발 서적을 쓰고자 한다면 직장인, 학생, 기업가 등 특정 그룹을 타겟으로 설정할 수 있습니다. 타겟 독자가 명확할수록 책의 내용이 더 구체적이고 효과적으로 전달될 수 있습니다. 이는 독자들이 책을 선택하는 데 큰 영향을 미칩니다.

둘째로, 타겟 독자의 요구와 관심사를 파악하는 것이 중요합니다. 이를 위해 설문조사, 인터뷰, 포커스 그룹 등을 활용할 수 있습니다. 타겟 독자가 어떤 문제를 해결하고 싶어하는지, 어떤 정보에 관심이 있는지를 정확히 파악하면, 책의 내용을 더 효과적으로 구성할 수 있습니다. 타겟 독자의 요구를 반영한 책은 그들의 큰 관심을 받을 수 있으며, 이는 책의 성공으로 이어집니다.

셋째로, 타겟 독자의 특징을 구체적으로 정의하는 것이 필요합니다. 연령, 성별, 직업, 학력, 생활방식 등 다양한 요소를 고려하여 타겟 독자의 프로필을 작성해보세요. 이러한 프로필은 글을 쓸 때 독자에게 더 가까이 다가갈 수 있도록 도와줍니다. 독자 프로필을 기반으로 글의 톤, 스타일, 내용 등을 조정하면, 독자들이 책을 더 쉽게 이해하고 공감할 수 있습니다. 이는 독자와의 연결을 강화합니다.

넷째로, 타겟 독자와의 소통을 강화하는 것이 중요합니다. 소셜 미디어, 블로그, 이메일 등을 통해 독자들과 소통하고, 그들의 피드백을 받아보세요. 독자들과의 소통을 통해 그들의 요구와 기대를 더 잘 파악할 수 있으며, 이를 반영하여 책의 내용을 개선할 수 있습니다. 독자와의 소통은 책의 품질을 높이는 데 중요한 역할을 합니다. 이는 책의 성공 가능성을 크게 높입니다.

마지막으로, 타겟 독자 설정 후에는 이를 바탕으로 마케팅 전략을 수립해야 합니다. 타겟 독자에게 효과적으로 다가갈 수 있는 마케팅 활동을 계획하고 실행해보세요. 예를 들어, 타겟 독자가 주로 사용하는 소셜 미디어 플랫폼에서 홍보 활동을 강화하거나, 그들이 자주 방문하는 웹사이트에 광고를 게재하는 등의 전략을 사용할 수 있습니다. 타겟 독자 중심의 마케팅은 책의 판매를 촉진하는 데 큰 도움이 됩니다.

독자층 분석 및 페르소나 설정

독자층 분석 및 페르소나 설정은 책의 성공을 위한 중요한 단계입니다. 독자층 분석은 먼저 타겟 독자의 주요 특징을 파악하는 것으로 시작됩니다. 연령, 성별, 직업, 교육 수준, 생활 방식 등 다양한 요소를 고려하여 타겟 독자의 프로필을 작성합니다. 이러한 분석은 독자의 요구와 관심사를 명확히 파악하는 데 도움이 되며, 이는 책의 내용과 마케팅 전략을 수립하는 데 중요한 정보를 제공합니다. 타겟 독자의 주요 특징을 파악하면, 독자들에게 더 효과적으로 다가갈 수 있습니다.

독자층 분석 후에는 페르소나를 설정합니다. 페르소나는 가상의 독자 프로필로, 특정 독자를 대표하는 캐릭터입니다. 페르소나를 설정함으로써 독자들의 요구와 기대를 더 구체적으로 이해할 수 있습니다. 예를 들어, 30대 직장인 남성으로서 자기계발에 관심이 많은 '김철수'라는 페르소나를 설정하면, 글을 쓸 때 김철수의 관점에서 생각하고 글을 구성할 수 있습니다. 이는 독자들과의 공감대를 형성하는 데 큰 도움이 됩니다.

페르소나 설정은 독자의 요구와 문제를 구체적으로 파악하는 데 도움을 줍니다. 페르소나가 어떤 문제를 해결하고 싶어하는지, 어떤 정보를 찾고 있는지를 명확히 정의하면, 책의 내용을 그들의 요구에 맞게 구성할 수 있습니다. 이는 독자들이 책을 통해 실질적인 도움을 받을 수 있도록 도와줍니다. 독자들의 요구와 문제를 해결하는 책은 더 큰 관심을 받을 수 있으며, 이는 책의 성공으로 이어집니다.

독자층 분석과 페르소나 설정은 글의 톤과 스타일을 결정하는 데도 중요한 역할을 합니다. 타겟 독자와 페르소나에 맞는 글의 톤과 스타일을 설정하면, 독자들이 책을 더 쉽게 이해하고 공감할 수 있습니다. 예를 들어, 젊은 독자층을 대상으로 한 책이라면 더 가볍고 캐주얼한 톤을 사용할 수 있으며, 전문적인 독자를 대상으로 한 책이라면 더 정중하고 전문적인 톤을 사용할 수 있습니다. 이는 독자들과의 연결을 강화하는 데 중요한 요소입니다.

마지막으로, 독자층 분석과 페르소나 설정을 바탕으로 마케팅 전략을 수립합니다. 독자들이 자주 이용하는 채널을 통해 책을 홍보하고, 그들의 관심을 끌 수 있는 콘텐츠를 제작합니다. 예를 들어, 소셜 미디어 캠페인, 블로그 포스트, 이메일 뉴스레터 등을 통해 독자들과 소통하고, 책의 인지도를 높일 수 있습니다. 독자층 분석과 페르소나 설정을 기반으로 한 마케팅 전략은 책의 판매를 촉진하는 데 큰 도움이 됩니다.

내 분야의 시장 조사하기

내 분야의 시장을 조사하는 것은 책의 성공을 위해 필수적인 과정입니다. 시장 조사는 먼저 해당 분야의 현황을 파악하는 것에서 시작합니다. 이를 위해 관련 보고서, 통계 자료, 시장 분석 기사 등을 참고할 수 있습니다. 이러한 자료들은 현재 시장의 크기, 성장 가능성,

주요 트렌드 등을 이해하는 데 도움을 줍니다. 시장 조사를 통해 자신이 진입하려는 분야의 전반적인 상황을 명확히 파악할 수 있습니다.

경쟁 도서를 분석하는 것도 중요한 부분입니다. 현재 시장에 나와 있는 유사한 책들을 조사하여 그들의 강점과 약점을 파악합니다. 이를 통해 자신의 책이 어떤 점에서 차별화될 수 있는지, 어떤 부분을 강화해야 하는지 알 수 있습니다. 경쟁 도서의 판매량, 독자 리뷰, 홍보 전략 등을 분석하면, 자신의 책이 시장에서 성공할 가능성을 높이는 데 유용한 정보를 얻을 수 있습니다.

잠재 독자의 요구와 기대를 조사하는 것도 필수적입니다. 이를 위해 설문 조사, 인터뷰, 포커스 그룹 등을 활용할 수 있습니다. 독자들이 어떤 주제에 관심이 있는지, 어떤 문제를 해결하고 싶은지, 어떤 형식의 책을 선호하는지 파악합니다. 독자들의 요구를 반영한 책은 더 많은 관심을 받을 수 있으며, 이는 책의 성공으로 이어집니다. 독자의 요구를 정확히 파악하는 것은 시장 조사에서 중요한 요소입니다.

출판 시장의 트렌드를 파악하는 것도 중요합니다. 현재 출판 시장에서 주목받고 있는 주제나 형식, 마케팅 전략 등을 조사합니다. 예를 들어, 디지털 출판의 성장, 오디오북의 인기, 특정 주제의 상승 등 다양한 트렌드를 파악하여 자신의 책에 적용할 수 있습니다. 출판 시장의 트렌드를 이해하면, 책의 기획과 마케팅 전략을 더 효과적으로 수립할 수 있습니다. 이는 책의 경쟁력을 높이는 데 큰 도움이 됩니다.

마지막으로, 시장 조사의 결과를 바탕으로 책의 기획과 마케팅 전략을 수립합니다. 시장 조사에서 얻은 정보를 바탕으로 책의 내용을 구성하고, 독자들의 요구에 맞춘 마케팅 활동을 계획합니다. 예를 들어, 독자들이 자주 이용하는 채널에서 홍보 활동을 강화하거나, 그들이 관심을 가질 만한 주제를 중심으로 책을 구성하는 등의 전략을 사용할 수 있습니다. 시장 조사를 통한 기획과 마케팅 전략 수립은 책의 성공 가능성을 크게 높입니다.

전문성 강화 전략 수립하기

전문성 강화는 성공적인 책을 쓰기 위한 중요한 단계입니다. 첫째로, 지속적인 학습과 자기 계발이 필요합니다. 해당 분야의 최신 연구와 동향을 파악하기 위해 관련 서적, 논문, 기사 등을 꾸준히 읽고 공부합니다. 또한, 세미나, 워크숍, 강연 등에 참석하여 새로운 지식과 기술을 습득합니다. 지속적인 학습은 자신의 전문성을 강화하고, 책의 내용을 더 깊이 있게 만들 수 있습니다.

둘째로, 전문가와의 네트워킹이 중요합니다. 해당 분야의 전문가들과 교류하며 그들의 지식과 경험을 배우는 것은 전문성을 강화하는 데 큰 도움이 됩니다. 학회, 컨퍼런스, 온라인 커뮤니티 등을 통해 전문가들과의 네트워킹을 강화하고, 그들의 조언을 구합니다. 또한, 전문가와의 인터뷰를 통해 책의 내용을 보강할 수도 있습니다. 이는 책의 신뢰성을 높이는 데 중요한 역할을 합니다.

셋째로, 실전 경험을 쌓는 것이 필요합니다. 이론적인 지식뿐만 아니라 실제 경험을 통해 전문성을 강화할 수 있습니다. 예를 들어, 해당 분야에서 직접 일하거나, 관련 프로젝트에 참여하는 등 다양한 경험을 쌓아보세요. 실전 경험은 책의 내용을 더 현실적이고 생생하게 만들 수 있으며, 독자들에게 더 큰 공감을 줄 수 있습니다. 이는 책의 가치를 높이는 중요한 요소입니다.

넷째로, 피드백을 통한 자기 개선이 중요합니다. 글을 쓰고 난 후 주변 사람들에게 피드백을 받아보세요. 그들의 의견을 통해 자신의 글을 개선하고, 더 나은 책을 만들 수 있습니다. 또한, 독자들의 피드백을 적극적으로 수용하여 책의 내용을 보완하고 발전시킵니다. 피드백을 통해 자신의 강점과 약점을 파악하고, 이를 개선하는 과정에서 전문성이 강화됩니다.

마지막으로, 자신만의 독창성을 유지하는 것이 중요합니다. 다른 사람의 지식을 배우는 것도 중요하지만, 자신의 독특한 관점과 아이디어를 반영하는 것이 필요합니다. 자신만의 독창적인 시각을 가지고 글을 쓰면, 독자들에게 더 큰 인상을 남길 수 있습니다. 독창성은 전문성을 강화하는 데 중요한 요소이며, 이는 독자들에게 차별화된 가치를 제공합니다. 이는 책의 성공을 위한 중요한 전략입니다.

Part 02

책 내용과
글쓰기 과정

제 2 장 　아이디어의 씨앗 심기

책을 잘 쓰고 팔기 위해서는 독서, 대화, 일상 경험 등을 통해 아이디어를 수집하고, 이를 체계적으로 정리하는 것이 중요합니다. 아이디어를 발전시키기 위해서는 다양한 관점에서 재검토하고, 구체화하며, 피드백을 통한 수정과 실험을 통해 지속적으로 개선하는 과정이 필요합니다.

1. 아이디어의 보물찾기

아이디어를 모으는 3가지 방법

아이디어를 모으는 첫 번째 방법은 독서를 통한 아이디어 수집입니다. 다양한 분야의 책을 읽으면서 새로운 아이디어를 얻을 수 있습니다. 특히, 자신의 관심 분야뿐만 아니라 다른 분야의 책을 읽는 것도 중요합니다. 이는 다양한 시각을 제공하고, 창의적인 연결을 만들 수 있는 기회를 제공합니다. 독서를 통해 얻은 아이디어는 자신의 글쓰기에 큰 영감을 줄 수 있습니다. 또한, 독서는 지식을 확장하고, 더 깊이 있는 글을 쓸 수 있도록 도와줍니다.

두 번째 방법은 주변 사람들과의 대화를 통한 아이디어 수집입니다. 친구, 가족, 동료 등과 다양한 주제에 대해 이야기하면서 새로운 아이디어를 얻을 수 있습니다. 대화는 새로운 관점을 제공하고, 생각하지 못한 아이디어를 떠올리게 합니다. 또한, 다른 사람들의 경험과 의견을 통해 자신의 생각을 확장할 수 있습니다. 대화를 통해 얻은 아이디어는 더 현실적이고 생생한 글을 쓰는 데 큰 도움이 됩니다.

세 번째 방법은 일상 생활에서 아이디어를 발견하는 것입니다. 일상 생활에서 경험하는 모든 것이 아이디어의 원천이 될 수 있습니다. 산책을 하거나, 여행을 하거나, 새로운 곳을 방문하면서 느끼는 감정과 경험을 기록해보세요. 일상의 작은 경험도 글쓰기의 소중한 소재가 될 수 있습니다. 일상 생활에서 얻은 아이디어는 더 개인적이고 독특한 글을 쓰는 데 큰 도움이 됩니다. 이는 독자들에게 큰 공감을 줄 수 있습니다.

아이디어를 모으는 과정에서 중요한 것은 열린 마음과 호기심입니다. 새로운 경험과 지식을 받아들이고, 다양한 관점을 탐구하는 것이 필요합니다. 호기심을 가지고 다양한 분야에 관심을 가지면, 더 많은 아이디어를 얻을 수 있습니다. 열린 마음으로 세상을 바라보며, 작은 것에서도 큰 영감을 얻을 수 있습니다. 이는 창의적인 글쓰기를 위한 중요한 요소입니다.

마지막으로, 아이디어를 기록하는 습관을 들이는 것이 중요합니다. 아이디어는 순간적으로 떠오르기 때문에 이를 놓치지 않기 위해 항상 메모하는 습관을 가지세요. 휴대폰 메모장이나 작은 노트북을 사용하여 언제 어디서든 아이디어를 기록할 수 있습니다. 아이디어를 기록하는 습관은 창의적인 글쓰기를 위한 중요한 준비 단계입니다. 이를 통해 다양한 아이디어를 체계적으로 관리하고, 글쓰기에 활용할 수 있습니다.

경험과 지식을 정리하는 방법

경험과 지식을 정리하는 첫 번째 방법은 체계적인 기록입니다. 자신의 경험과 배운 지식을 일기나 노트에 꾸준히 기록하는 습관을 들이세요. 이 과정에서 날짜별로 정리하고, 중요한 포인트를 요약하여 적는 것이 좋습니다. 체계적인 기록은 나중에 필요할 때 쉽게 찾아볼 수 있도록 도와줍니다. 또한, 기록을 통해 자신이 어떤 경험을 했는지, 어떤 지식을 습득했는지 명확히 파악할 수 있습니다. 이는 글을 쓸 때 중요한 자료로 활용할 수 있습니다.

두 번째 방법은 카테고리화입니다. 자신의 경험과 지식을 주제별로 분류해보세요. 예를 들어, 여행, 직업, 인간관계 등 다양한 주제로 나누어 정리하는 것이 좋습니다. 카테고리화를 통해 어떤 주제에서 어떤 경험을 했는지, 어떤 지식을 얻었는지 쉽게 파악할 수 있습니다. 이는 글을 쓸 때 필요한 자료를 빠르게 찾을 수 있도록 도와줍니다. 또한, 주제별로 정리된 자료는 글의 구조를 잡는 데 큰 도움이 됩니다.

세 번째 방법은 시각화 도구를 활용하는 것입니다. 마인드맵이나 다이어그램을 사용하여 자신의 경험과 지식을 시각적으로 정리해보세요. 시각화 도구를 사용하면 복잡한 정보도 쉽게 이해할 수 있으며, 아이디어 간의 연결을 명확히 할 수 있습니다. 이는 글의 흐름을 잡는 데 큰 도움이 됩니다. 또한, 시각화 도구를 사용하면 창의적인 사고를 촉진하고, 새로운 아이디어를 떠올리는 데 도움이 됩니다.

네 번째 방법은 디지털 도구를 활용하는 것입니다. 컴퓨터나 스마트폰을 사용하여 자신의 경험과 지식을 디지털화해보세요. 다양한 노트 앱이나 프로젝트 관리 도구를 사용하여 자료를 체계적으로 정리할 수 있습니다. 디지털 도구를 사용하면 자료를 쉽게 검색하고, 필요할 때 언제든지 접근할 수 있습니다. 또한, 디지털화된 자료는 공유하기도 용이하여 협업에 큰 도움이 됩니다. 이는 글쓰기를 더 효율적으로 만들어줍니다.

마지막으로, 정기적으로 리뷰하고 업데이트하는 습관을 들이세요. 정리된 자료를 주기적으로 검토하고, 새로운 경험과 지식을 추가하는 것이 중요합니다. 이를 통해 자신의 경험과 지식을 최신 상태로 유지할 수 있으며, 필요할 때 바로 활용할 수 있습니다. 정기적인 리뷰와 업데이트는 글쓰기를 준비하는 중요한 과정입니다. 이는 글의 질을 높이고, 더 풍부한 내용을 제공할 수 있도록 도와줍니다.

아이디어 노트 작성법

아이디어 노트를 작성하는 첫 번째 방법은 항상 휴대 가능한 노트를 준비하는 것입니다. 작은 노트나 스마트폰 메모 앱을 사용하여 언제 어디서든 아이디어를 기록할 수 있도록 합니다. 이는 순간적으로 떠오르는 아이디어를 놓치지 않도록 도와줍니다. 또한, 노트를 항상 휴대하는 습관을 들이면, 아이디어를 기록하는 것이 자연스러워지고, 꾸준히 아이디어를 수집할 수 있습니다. 이는 창의적인 글쓰기를 위한 중요한 준비 단계입니다.

두 번째 방법은 날짜별로 아이디어를 기록하는 것입니다. 아이디어를 기록할 때 날짜를 함께 적어두면, 나중에 아이디어를 찾을 때 도움이 됩니다. 또한, 날짜별로 아이디어를 기록하면 아이디어의 흐름을 파악할 수 있으며, 어떤 시기에 어떤 아이디어가 떠올랐는지 쉽게 알 수 있습니다. 이는 글을 쓸 때 아이디어의 연속성을 유지하는 데 큰 도움이 됩니다. 날짜별 기록은 체계적인 아이디어 관리의 기본입니다.

세 번째 방법은 키워드를 사용하여 아이디어를 분류하는 것입니다. 각 아이디어에 키워드를 붙여 분류하면, 나중에 특정 주제의 아이디어를 찾을 때 쉽게 검색할 수 있습니다. 예를 들어,

여행, 직장, 인간관계 등 다양한 주제로 키워드를 설정할 수 있습니다. 키워드를 사용하면 아이디어를 더 체계적으로 관리할 수 있으며, 필요한 아이디어를 빠르게 찾아볼 수 있습니다. 이는 글쓰기를 더 효율적으로 만들어줍니다.

네 번째 방법은 시각적 요소를 활용하는 것입니다. 글뿐만 아니라 그림, 다이어그램, 마인드맵 등을 사용하여 아이디어를 시각적으로 표현해보세요. 시각적 요소를 활용하면 아이디어 간의 연결을 더 명확히 할 수 있으며, 창의적인 사고를 촉진합니다. 또한, 시각적 요소는 아이디어를 더 쉽게 기억하고, 필요할 때 바로 떠올릴 수 있도록 도와줍니다. 이는 글의 구조를 잡는 데 큰 도움이 됩니다.

마지막으로, 정기적으로 아이디어 노트를 검토하고 업데이트하는 것이 중요합니다. 아이디어 노트를 주기적으로 검토하여 새로운 아이디어를 추가하고, 기존 아이디어를 보완하세요. 이를 통해 아이디어를 최신 상태로 유지할 수 있으며, 필요한 자료를 바로 활용할 수 있습니다. 정기적인 검토와 업데이트는 아이디어 노트의 효과를 극대화하는 중요한 과정입니다. 이는 글쓰기를 준비하는 데 큰 도움이 됩니다.

창의적 사고법 익히기

창의적 사고법을 익히는 첫 번째 방법은 고정관념을 버리는 것입니다. 새로운 아이디어를 떠올리기 위해서는 기존의 틀에서 벗어나야 합니다. 기존의 생각과 다르게 사고하고, 새로운 시각에서 문제를 바라보는 연습을 해보세요. 이는 창의적 사고를 촉진하고,

더 독창적인 아이디어를 만들어낼 수 있게 도와줍니다. 고정관념을 버리고 자유롭게 사고하는 것이 창의적 글쓰기를 위한 첫 걸음입니다.

두 번째 방법은 다양한 경험을 통해 영감을 얻는 것입니다. 여행, 독서, 예술 감상 등 다양한 활동을 통해 새로운 경험을 쌓아보세요. 다양한 경험은 창의적인 아이디어의 원천이 됩니다. 예를 들어, 새로운 장소를 방문하거나, 새로운 사람을 만나면서 얻은 경험은 글쓰기에 큰 영감을 줄 수 있습니다. 다양한 경험을 통해 얻은 아이디어는 더 풍부하고 독창적인 글을 쓰는 데 큰 도움이 됩니다.

세 번째 방법은 브레인스토밍 기법을 활용하는 것입니다. 특정 주제에 대해 자유롭게 아이디어를 떠올리고, 이를 기록해보세요. 브레인스토밍은 비판 없이 아이디어를 수집하는 것이 핵심입니다. 이를 통해 다양한 아이디어를 빠르게 모을 수 있으며, 나중에 이를 조합하여 더 좋은 아이디어를 만들어낼 수 있습니다. 브레인스토밍은 창의적 사고를 촉진하는 중요한 도구입니다.

네 번째 방법은 질문을 통한 사고법입니다. 다양한 질문을 던져보면서 문제를 다각도로 분석해보세요. "왜?", "어떻게?", "무엇을?" 등의 질문을 통해 문제의 본질을 파악하고, 새로운 해결책을 찾아낼 수 있습니다. 질문을 통해 사고의 범위를 확장하고, 더 깊이 있는 아이디어를 떠올릴 수 있습니다. 이는 창의적인 글쓰기를 위한 중요한 과정입니다.

마지막으로, 창의적 사고를 위해 휴식을 취하는 것도 중요합니다. 과도한 스트레스와 피로는 창의적 사고를 방해할 수 있습니다. 적절한 휴식과 여유를 가지면서, 마음을 릴렉스 시켜보세요. 산책을 하거나, 명상을 하는 등의 활동을 통해 마음을 편안하게 유지하면, 더 창의적인 아이디어를 떠올릴 수 있습니다. 휴식은 창의적 사고를 촉진하는 중요한 요소입니다.

아이디어 발전시키기

아이디어를 발전시키는 첫 번째 방법은 다양한 관점에서 아이디어를 재검토하는 것입니다. 처음 떠오른 아이디어를 여러 각도에서 바라보고, 이를 더 발전시킬 수 있는 방법을 고민해보세요. 예를 들어, 아이디어의 장단점을 분석하고, 이를 바탕으로 더 나은 방향으로 개선할 수 있습니다. 다양한 관점에서 아이디어를 재검토하면, 더 창의적이고 완성도 높은 아이디어를 만들어낼 수 있습니다.

두 번째 방법은 아이디어를 구체화하는 것입니다. 추상적인 아이디어를 구체적인 계획으로 전환하는 과정이 필요합니다. 이를 위해 아이디어를 단계별로 나누고, 각각의 단계를 실행 가능한 계획으로 세워보세요. 예를 들어, 아이디어를 실현하기 위해 필요한 자원, 시간, 인력 등을 고려하여 구체적인 계획을 세우는 것입니다. 구체화된 아이디어는 실현 가능성을 높이고, 실행에 옮기기 쉽게 만듭니다.

세 번째 방법은 피드백을 통한 개선입니다. 주변 사람들에게 아이디어를 공유하고, 그들의 피드백을 받아보세요. 다양한 의견을 듣고, 이를 반영하여 아이디어를 개선하는 과정이 필요합니다.

피드백을 통해 자신의 아이디어의 강점과 약점을 파악할 수 있으며, 이를 보완하여 더 나은 아이디어로 발전시킬 수 있습니다. 피드백은 아이디어를 객관적으로 평가하고, 개선하는 데 중요한 역할을 합니다.

네 번째 방법은 아이디어를 실험하는 것입니다. 작은 규모로 아이디어를 실험해보고, 그 결과를 바탕으로 아이디어를 수정하고 발전시켜보세요. 예를 들어, 아이디어를 실제로 실행해보고, 그 과정에서 발생하는 문제점을 해결하는 것입니다. 실험을 통해 얻은 결과는 아이디어를 더 현실적이고 구체적으로 만들어줍니다. 이는 아이디어의 실현 가능성을 높이는 중요한 과정입니다.

마지막으로, 아이디어를 지속적으로 발전시키는 것이 중요합니다. 아이디어는 한 번에 완성되지 않으며, 지속적인 노력과 개선을 통해 발전할 수 있습니다. 끊임없이 아이디어를 고민하고, 새로운 방법을 찾아보세요. 또한, 최신 정보를 꾸준히 업데이트하고, 이를 아이디어에 반영하는 것이 필요합니다. 지속적인 발전을 통해 아이디어는 더 완성도 높고 창의적인 결과물로 이어질 수 있습니다.

2. 자료의 금광 캐기

신뢰할 수 있는 자료 찾기

신뢰할 수 있는 자료를 찾는 첫 번째 방법은 출처가 명확한 자료를 사용하는 것입니다. 출처가 명확한 자료는 그 정보를 제공한 기관이나 저자가 누구인지 분명하게 밝혀져 있습니다. 학술 논문, 정부 보고서, 공인된 연구 기관의 자료 등은 신뢰할 수 있는 출처로 간주됩니다. 이러한 자료들은 데이터의 정확성과 신뢰성을 보장합니다. 출처가 불분명한 자료는 사용을 피하는 것이 좋습니다.

두 번째 방법은 최신 자료를 사용하는 것입니다. 정보는 시간이 지남에 따라 변할 수 있으며, 최신 자료는 현재 상황을 가장 잘 반영합니다. 최신 연구나 보고서를 통해 최신 동향과 데이터를 파악할 수 있습니다. 이를 위해 정기적으로 관련 분야의 최신 문헌을 검토하고, 새로운 연구 결과를 반영하는 것이 중요합니다. 최신 자료는 글의 신뢰성을 높이는 중요한 요소입니다.

세 번째 방법은 다수의 출처를 교차 검증하는 것입니다. 하나의 자료만을 의존하지 않고, 여러 출처를 통해 정보를 확인해보세요. 동일한 정보가 여러 출처에서 일관되게 제시된다면, 그 자료의 신뢰성이 높다고 판단할 수 있습니다. 교차 검증을 통해 자료의 신뢰성을 확인하고, 편향된 정보를 피할 수 있습니다. 이는 자료의 정확성을 높이는 데 중요한 방법입니다.

네 번째 방법은 권위 있는 전문가의 의견을 참고하는 것입니다. 해당 분야의 전문가가 작성한 자료는 신뢰할 수 있는 정보로 간주됩니다. 전문가의 저서, 학술 논문, 강연 자료 등을 참고하여 정보를 얻을 수 있습니다. 또한, 전문가와의 직접적인 인터뷰를 통해 신뢰할 수 있는 자료를 확보할 수도 있습니다. 전문가의 의견은 자료의 신뢰성을 높이는 중요한 요소입니다.

마지막으로, 공신력 있는 출판사나 학술지에서 출판된 자료를 사용하는 것이 좋습니다. 공신력 있는 출판사나 학술지는 엄격한 심사 과정을 거쳐 출판되기 때문에, 그 자료의 신뢰성이 높습니다. 학술지 논문, 권위 있는 출판사의 책 등을 통해 정보를 얻을 수 있습니다. 이러한 자료들은 신뢰할 수 있는 정보 제공에 큰 도움이 됩니다. 이는 글의 신뢰성을 높이는 중요한 요소입니다.

자료의 신뢰성 확인

자료의 신뢰성을 확인하는 첫 번째 방법은 자료의 출처를 검토하는 것입니다. 자료가 어디서 왔는지, 어떤 기관이나 저자가 제공했는지를 확인해보세요. 출처가 명확하고 공신력 있는 기관이나 전문가에 의해 제공된 자료는 신뢰할 수 있습니다. 반면, 출처가 불분명하거나 신뢰할 수 없는 곳에서 제공된 자료는 사용을 피하는 것이 좋습니다. 출처 검토는 자료의 신뢰성을 평가하는 중요한 단계입니다.

두 번째 방법은 자료의 최신성을 확인하는 것입니다. 최신 자료는 현재 상황을 가장 잘 반영하기 때문에 신뢰성이 높습니다. 자료가 언제 작성되었는지를 확인하고, 최근의 정보인지 판단해보세요. 오래된 자료는 현재와 맞지 않는 정보를 제공할 수 있으므로, 최신 자료를 사용하는 것이 좋습니다. 최신성을 확인하는 것은 자료의 신뢰성을 높이는 중요한 요소입니다.

세 번째 방법은 자료의 작성 목적을 검토하는 것입니다. 자료가 어떤 목적을 가지고 작성되었는지를 이해하면, 그 신뢰성을 더 잘 평가할 수 있습니다. 예를 들어, 특정 제품을 홍보하기 위해 작성된 자료는 편향된 정보를 제공할 수 있습니다. 반면, 학술 연구나 공공 보고서는 객관적인 정보를 제공할 가능성이 높습니다. 작성 목적을 검토하는 것은 자료의 신뢰성을 평가하는 중요한 과정입니다.

네 번째 방법은 자료의 내용이 다른 출처와 일치하는지를 확인하는 것입니다. 동일한 정보를 다른 출처에서도 확인할 수 있다면, 그 자료의 신뢰성이 높다고 판단할 수 있습니다. 교차 검증을 통해 자료의 일관성을 확인하고, 편향된 정보를 피할 수 있습니다. 여러 출처를 통해 동일한 정보를 확인하는 것은 자료의 신뢰성을 평가하는 효과적인 방법입니다.

마지막으로, 자료의 저자나 제공자의 전문성을 검토하는 것이 중요합니다. 저자나 제공자가 해당 분야에서 권위 있는 전문가인지, 그들의 경력이 신뢰할 수 있는지 확인해보세요. 전문가가 작성한 자료는 신뢰성이 높으며, 정확한 정보를 제공할 가능성이 큽니다. 저자나 제공자의 전문성을 검토하는 것은 자료의 신뢰성을 평가하는 중요한 기준입니다.

인터넷과 도서관 활용법

인터넷과 도서관을 활용하여 자료를 찾는 첫 번째 방법은 키워드 검색입니다. 인터넷 검색 엔진이나 도서관 데이터베이스에서 관련 키워드를 입력하여 필요한 자료를 찾아보세요. 키워드를 구체적으로 설정하면 더 정확한 자료를 찾을 수 있습니다. 예를 들어, "자기계발" 대신 "2023 자기계발 트렌드"처럼 구체적인 키워드를 사용하면 더 유용한 자료를 찾을 수 있습니다. 키워드 검색은 자료를 효율적으로 찾는 중요한 방법입니다.

두 번째 방법은 학술 데이터베이스 활용입니다. Google Scholar, JSTOR, PubMed 등 학술 자료를 제공하는 데이터베이스를 통해 신뢰할 수 있는 자료를 찾을 수 있습니다. 이러한 데이터베이스는 검증된 학술 논문, 연구 보고서 등을 제공하기 때문에 신뢰성이 높습니다. 학술 데이터베이스를 활용하면, 깊이 있는 자료를 찾고, 글의 신뢰성을 높일 수 있습니다. 이는 연구 기반의 글쓰기에서 중요한 자료 수집 방법입니다.

세 번째 방법은 도서관의 전자 자료 활용입니다. 많은 도서관이 전자책, 전자저널, 온라인 데이터베이스 등을 제공하고 있습니다. 도서관 홈페이지에서 전자 자료를 검색하고, 필요한 자료를 다운로드 받을 수 있습니다. 도서관의 전자 자료는 신뢰할 수 있는 정보 출처로, 자료를 효율적으로 수집하는 데 큰 도움이 됩니다. 전자 자료 활용은 시간과 공간의 제약을 극복할 수 있는 유용한 방법입니다.

네 번째 방법은 도서관 사서의 도움을 받는 것입니다. 도서관 사서는 자료 찾기에 전문가로, 필요한 자료를 찾는 데 큰 도움을 줄 수 있습니다. 특정 주제나 자료에 대해 문의하면, 사서가 관련 자료를 추천해주거나, 자료를 찾는 방법을 안내해줄 수 있습니다. 사서의 도움을 받으면, 자료 찾기가 훨씬 효율적이고 정확해집니다. 도서관 사서를 적극 활용하는 것은 자료 수집의 효과적인 방법입니다.

마지막으로, 인터넷과 도서관을 함께 활용하는 것이 중요합니다. 인터넷은 최신 정보를 빠르게 찾을 수 있는 장점이 있고, 도서관은 신뢰할 수 있는 깊이 있는 자료를 제공하는 장점이 있습니다. 두 가지를 함께 활용하면, 더 풍부하고 신뢰성 있는 자료를 수집할 수 있습니다. 인터넷과 도서관의 장점을 결합하여 자료를 찾으면, 글의 내용이 더욱 풍부하고 신뢰성 있게 될 수 있습니다.

전문가 인터뷰 방법

전문가 인터뷰를 통한 자료 수집은 신뢰할 수 있는 정보를 얻는 효과적인 방법입니다. 첫 번째로, 인터뷰할 전문가를 선정하는 것이 중요합니다. 해당 분야에서 권위 있는 전문가를 찾고, 그들의 연구나 저서를 검토하여 인터뷰 요청을 준비합니다. 전문가의 배경과 경력을 파악하면, 인터뷰 질문을 더 구체적이고 효과적으로 준비할 수 있습니다. 전문가 선정은 인터뷰의 성공을 좌우하는 중요한 단계입니다.

두 번째로, 인터뷰 질문을 사전에 준비하는 것이 필요합니다. 질문은 구체적이고 명확하게 작성하며, 전문가의 전문 지식과 경험을 최대한 이끌어낼 수 있도록 구성합니다. 예를 들어, "현재 트렌드에 대해 어떻게 생각하십니까?"보다는 "현재 트렌드 중 가장 주목할 만한 변화는 무엇이며, 그 이유는 무엇인가요?"처럼 구체적인 질문이 더 효과적입니다. 사전 질문 준비는 인터뷰의 질을 높이는 중요한 요소입니다.

세 번째로, 인터뷰 일정과 장소를 정하는 것입니다. 전문가의 편의를 고려하여 일정과 장소를 정하고, 인터뷰 시간을 충분히 확보합니다. 인터뷰 전에는 전문가에게 인터뷰의 목적과 주요 질문을 미리 전달하여 준비할 수 있도록 합니다. 인터뷰 일정과 장소는 전문가와의 원활한 소통을 위해 중요한 부분입니다. 이는 인터뷰의 원활한 진행을 도와줍니다.

네 번째로, 인터뷰 진행 중에는 적극적인 경청과 메모를 통해 중요한 정보를 기록합니다. 전문가의 답변을 주의 깊게 듣고, 필요한 경우 추가 질문을 통해 더 깊이 있는 정보를 이끌어냅니다. 메모를 통해 중요한 포인트를 기록하면, 나중에 이를 바탕으로 글을 작성할 때 유용하게 사용할 수 있습니다. 인터뷰 진행 중의 적극적인 경청과 메모는 자료 수집의 중요한 과정입니다.

마지막으로, 인터뷰 후에는 감사 인사를 전하고, 필요한 경우 추가 질문을 요청할 수 있습니다. 인터뷰 후 전문가에게 감사 메일을 보내고, 추가로 필요한 정보가 있을 경우 문의하는 것이 좋습니다. 또한, 인터뷰 내용을 정리하여 전문가에게 확인을 요청하면, 정보의 정확성을 높일 수 있습니다. 인터뷰 후의 후속 조치는 전문가와의 관계를 강화하고, 자료의 신뢰성을 높이는 중요한 단계입니다.

자료 정리 및 보관법

자료를 효율적으로 정리하고 보관하는 첫 번째 방법은 카테고리화입니다. 수집한 자료를 주제별로 분류하여 체계적으로 정리해보세요. 예를 들어, "시장 조사", "경쟁 분석", "독자 피드백" 등으로 분류하여 자료를 정리하면, 필요한 자료를 쉽게 찾을 수 있습니다. 카테고리화는 자료의 체계적 관리를 도와주며, 글쓰기를 효율적으로 진행할 수 있도록 합니다. 이는 자료 정리의 기본적인 방법입니다.

두 번째 방법은 디지털 도구를 활용하는 것입니다. 컴퓨터나 클라우드 서비스를 이용하여 자료를 디지털화하고, 파일을 체계적으로 정리하세요. 예를 들어, Google Drive, Dropbox, Evernote 등 다양한 디지털 도구를 활용하여 자료를 저장하고 관리할 수 있습니다. 디지털 도구를 활용하면 자료를 언제 어디서든 접근할 수 있으며, 자료의 분실을 방지할 수 있습니다. 이는 자료 보관의 효율성을 높이는 중요한 방법입니다.

세 번째 방법은 자료의 출처를 명확히 기록하는 것입니다. 수집한 자료마다 출처를 정확히 기록하여 나중에 참고할 수 있도록 합니다. 예를 들어, 저자, 출판일, 출판사, URL 등을 함께 기록하면, 자료의 신뢰성을 높이고, 인용 시 정확한 정보를 제공할 수 있습니다. 출처 기록은 자료의 신뢰성을 보장하는 중요한 요소입니다. 이는 자료 사용 시 필수적인 과정입니다.

네 번째 방법은 메모와 주석을 활용하는 것입니다. 자료를 읽고 중요한 부분에 메모를 남기거나 주석을 달아두면, 나중에 내용을 빠르게 파악할 수 있습니다. 메모와 주석을 통해 자료의 핵심 포인트를 쉽게 기억하고, 필요할 때 빠르게 참고할 수 있습니다. 이는 자료를 효율적으로 활용하는 데 큰 도움이 됩니다. 메모와 주석 활용은 자료 정리의 효과적인 방법입니다.

마지막으로, 정기적으로 자료를 리뷰하고 업데이트하는 것이 중요합니다. 수집한 자료를 주기적으로 검토하여 최신 정보를 반영하고, 불필요한 자료는 정리합니다. 이를 통해 자료를 항상 최신 상태로 유지할 수 있으며, 필요한 정보를 빠르게 찾을 수 있습니다. 정기적인 리뷰와 업데이트는 자료 관리의 중요한 부분입니다. 이는 글의 질을 높이고, 신뢰성 있는 자료 제공에 큰 도움이 됩니다.

3. 트렌드와 아이디어의 융합

최신 트렌드 반영하는 법

최신 트렌드를 반영하는 첫 번째 방법은 지속적인 정보 수집입니다. 다양한 소스에서 최신 정보를 얻기 위해 뉴스, 학술지, 전문 잡지, 블로그 등을 꾸준히 팔로우하세요. 이를 통해 현재 어떤 주제가 주목받고 있는지, 어떤 변화가 일어나고 있는지를 파악할 수 있습니다. 또한, 소셜 미디어를 통해 사람들의 관심사와 반응을 실시간으로 확인하는 것도 중요합니다. 최신 트렌드를 반영하려면 정보 수집이 필수적입니다.

두 번째 방법은 트렌드를 분석하고 이해하는 것입니다. 단순히 정보를 수집하는 것에서 그치지 말고, 수집한 정보를 분석하여 트렌드의 본질을 파악하세요. 예를 들어, 특정 주제가 왜 인기를 끌고 있는지, 그 주제에 어떤 배경이 있는지를 이해해야 합니다. 이러한 분석은 글의 깊이를 더해주며, 독자들에게 더 큰 공감을 줄 수 있습니다. 트렌드의 본질을 이해하는 것은 트렌드를 효과적으로 반영하는 데 필수적입니다.

세 번째 방법은 트렌드를 자신의 글에 맞게 변형하는 것입니다. 최신 트렌드를 그대로 반영하는 것도 중요하지만, 이를 자신의 글과 연관시켜 독창적으로 변형하는 것이 더 효과적입니다. 예를 들어, 현재 유행하는 주제를 자신의 글의 주제나 스타일에 맞게 조정하고, 새로운 관점에서 접근해보세요. 트렌드를 변형하여 반영하면, 독자들에게 신선함을 줄 수 있습니다.

네 번째 방법은 전문가의 의견을 참고하는 것입니다. 해당 분야의 전문가나 인플루언서의 의견을 듣고, 그들의 인사이트를 반영하는 것도 좋은 방법입니다. 전문가의 의견은 트렌드를 더 깊이 있게 이해하고, 신뢰성을 높이는 데 도움이 됩니다. 전문가 인터뷰나 강연, 블로그 포스트 등을 통해 그들의 의견을 수집하고, 이를 글에 반영해보세요.

마지막으로, 트렌드를 반영하는 글을 작성한 후에는 독자들의 반응을 주의 깊게 살펴보세요. 독자들이 어떤 부분에 관심을 가지는지, 어떤 반응을 보이는지를 분석하여 다음 글에 반영하는 것이 중요합니다. 독자들의 피드백을 통해 트렌드를 더 효과적으로 반영하고, 글의 질을 높일 수 있습니다. 독자 반응 분석은 트렌드를 반영하는 데 중요한 요소입니다.

경쟁 도서 분석 및 활용

경쟁 도서를 분석하는 첫 번째 방법은 베스트셀러 목록을 검토하는 것입니다. 현재 시장에서 잘 팔리고 있는 책들을 살펴보고, 그들의 주제, 서술 방식, 마케팅 전략 등을 분석하세요. 베스트셀러 도서는 독자들이 선호하는 요소를 잘 반영하고 있기 때문에, 이를 참고하면 자신의 글에 적용할 수 있는 유용한 인사이트를 얻을 수 있습니다. 베스트셀러 목록은 경쟁 도서 분석의 출발점입니다.

두 번째 방법은 독자 리뷰를 분석하는 것입니다. 아마존, 굿리즈, 알라딘 등 온라인 서점의 리뷰를 통해 독자들이 해당 도서에 대해 어떤 반응을 보였는지 확인해보세요. 독자들이 좋아하는 점과 개선을 원하는 점을 파악하면, 자신의 글을 더 매력적으로 만들 수 있는 아이디어를 얻을 수 있습니다. 독자 리뷰는 경쟁 도서의 강점과 약점을 파악하는 데 큰 도움이 됩니다.

세 번째 방법은 경쟁 도서의 구조와 스타일을 분석하는 것입니다. 경쟁 도서가 어떤 방식으로 내용을 전개하고, 어떤 스타일로 글을 쓰는지 살펴보세요. 목차 구성, 챕터의 길이, 문체 등 다양한 요소를 분석하여 자신의 글에 적용할 수 있는 부분을 찾습니다. 경쟁 도서의 구조와 스타일 분석은 글의 완성도를 높이는 데 중요한 역할을 합니다.

네 번째 방법은 경쟁 도서의 마케팅 전략을 참고하는 것입니다. 경쟁 도서가 어떤 마케팅 전략을 사용했는지, 어떤 홍보 활동을 했는지 살펴보세요. 이를 통해 효과적인 마케팅 방법을 배우고, 자신의 책에 적용할 수 있습니다. 소셜 미디어 캠페인, 독자 이벤트, 리뷰어 모집 등 다양한 마케팅 전략을 분석하여 자신의 마케팅 계획을 세우세요. 마케팅 전략 분석은 책의 성공 가능성을 높이는 중요한 요소입니다.

마지막으로, 경쟁 도서를 참고하되, 차별화된 요소를 찾는 것이 중요합니다. 경쟁 도서와 유사한 주제를 다루더라도, 자신만의 독창적인 시각과 접근 방식을 반영하여 차별화를 시도하세요. 독자들에게 새로운 가치를 제공할 수 있는 요소를 찾아내는 것이 중요합니다. 차별화된 접근은 독자들에게 신선함을 주고, 경쟁력을 높이는 데 큰 도움이 됩니다.

독자의 관심사 파악하기

독자의 관심사를 파악하는 첫 번째 방법은 설문조사를 실시하는 것입니다. 독자들에게 직접 질문을 던져 그들의 관심사, 선호 주제, 읽고 싶은 내용 등을 파악하세요. 온라인 설문조사 도구를 사용하면 간편하게 많은 독자의 의견을 수집할 수 있습니다. 설문조사는 독자들의 실제 관심사를 구체적으로 파악하는 데 매우 효과적입니다. 이는 글의 주제를 선정하고, 내용을 구성하는 데 중요한 자료가 됩니다.

두 번째 방법은 소셜 미디어 분석입니다. 트위터, 페이스북, 인스타그램 등 소셜 미디어 플랫폼에서 독자들이 어떤 주제에 대해 이야기하는지, 어떤 콘텐츠를 공유하는지를 분석하세요. 해시태그, 트렌딩 주제 등을 통해 독자들의 현재 관심사를 파악할 수 있습니다. 소셜 미디어는 실시간으로 독자들의 관심사를 반영하므로, 이를 통해 최신 트렌드를 이해할 수 있습니다. 이는 글의 시의성을 높이는 데 도움이 됩니다.

세 번째 방법은 독자 리뷰와 댓글을 분석하는 것입니다. 온라인 서점이나 독서 커뮤니티에서 독자들이 남긴 리뷰와 댓글을 통해 그들이 어떤 점을 좋아하고, 어떤 점을 개선했으면 좋겠는지 파악하세요. 독자들의 피드백은 그들의 관심사와 기대를 명확히 보여줍니다. 리뷰와 댓글 분석은 독자들의 요구를 이해하고, 이를 반영한 글을 쓰는 데 큰 도움이 됩니다.

네 번째 방법은 독자와의 직접적인 소통입니다. 블로그나 소셜 미디어를 통해 독자들과 직접 소통하고, 그들의 의견을 수집하세요. 독자들과의 대화를 통해 그들이 관심을 가지는 주제와 궁금해하는 점을 파악할 수 있습니다. 또한, 독자들과의 소통은 그들과의 유대감을 강화하고, 독자들이 글에 더 큰 관심을 가지게 만드는 데 중요한 역할을 합니다. 직접적인 소통은 독자의 요구를 이해하는 데 효과적입니다.

마지막으로, 독자 페르소나를 설정하는 것이 중요합니다. 가상의 독자 프로필을 만들어 그들의 관심사, 생활 방식, 독서 습관 등을 구체적으로 정의하세요. 페르소나는 특정 독자를 대표하는 캐릭터로, 글을 쓸 때 그들의 관점에서 생각하고 구성하는 데 도움이 됩니다. 독자 페르소나는 글의 타겟을 명확히 하고, 독자들이 원하는 내용을 효과적으로 전달하는 데 중요한 도구입니다.

트렌드와 내 글의 연결점 찾기

트렌드와 자신의 글을 연결하는 첫 번째 방법은 트렌드를 주제에 반영하는 것입니다. 현재 주목받고 있는 트렌드를 자신의 글 주제에 반영하여 독자들의 관심을 끌어보세요. 예를 들어, 환경 보호가 트렌드라면 이를 주제로 삼아 관련 내용을 다루거나, 자신의 주제와 연결 지어 새로운 시각을 제시할 수 있습니다. 트렌드를 주제에 반영하면 독자들이 현재의 이슈와 관련된 내용을 더 쉽게 이해하고 공감할 수 있습니다.

두 번째 방법은 트렌드를 글의 예시나 사례로 활용하는 것입니다. 글의 내용 중간중간에 현재 트렌드와 관련된 사례나 예시를 넣어 독자들에게 더 구체적인 이해를 도와줍니다. 예를 들어, 최신 기술 트렌드를 다룰 때 그 기술을 실제로 사용한 사례를 소개하면 독자들이 더 쉽게 이해할 수 있습니다. 트렌드를 예시로 활용하면 글의 내용이 더 생동감 있고, 현실적으로 다가옵니다.

세 번째 방법은 트렌드와 글의 구조를 연계하는 것입니다. 현재 트렌드에 맞는 글의 구조를 적용하여 독자들이 읽기 쉽게 구성해보세요. 예를 들어, 짧은 문단과 간결한 문장을 사용하여 현대 독자들이 선호하는 읽기 방식을 반영할 수 있습니다. 트렌드에 맞는 글의 구조는 독자들이 더 쉽게 글을 읽고 이해할 수 있도록 도와줍니다. 이는 글의 가독성을 높이는 데 중요한 요소입니다.

네 번째 방법은 트렌드와 글의 톤과 스타일을 연결하는 것입니다. 트렌드에 맞는 톤과 스타일을 사용하여 독자들에게 더 친근하게 다가가세요. 예를 들어, 젊은 독자층을 대상으로 할 때는 더 캐주얼하고 경쾌한 톤을 사용하고, 전문성을 강조할 때는 더 진지하고 정중한 톤을 사용할 수 있습니다. 톤과 스타일을 트렌드에 맞게 조정하면 독자들에게 더 큰 호응을 얻을 수 있습니다.

마지막으로, 트렌드를 글의 마케팅 전략에 반영하는 것이 중요합니다. 글을 홍보할 때 현재 트렌드에 맞는 마케팅 전략을 사용하여 더 많은 독자들에게 다가가세요. 소셜 미디어 캠페인, 인플루언서 협업, 최신 기술을 활용한 홍보 등 다양한 방법을 시도해보세요. 트렌드를 반영한 마케팅 전략은 글의 인지도를 높이고, 독자들의 관심을 끌어모으는 데 큰 도움이 됩니다.

트렌드의 지속 가능성 평가

트렌드의 지속 가능성을 평가하는 첫 번째 방법은 트렌드의 역사적 배경을 살펴보는 것입니다. 해당 트렌드가 언제부터 시작되었고, 어떤 배경에서 발생했는지 이해하면 그 지속 가능성을 더 잘 판단할 수 있습니다. 예를 들어, 오래전부터 지속되어온 트렌드는 단기간에 사라지지 않을 가능성이 높습니다. 역사적 배경을 이해하는 것은 트렌드의 지속 가능성을 평가하는 중요한 단계입니다.

두 번째 방법은 트렌드의 현재 성장 속도를 분석하는 것입니다. 트렌드가 얼마나 빠르게 성장하고 있는지, 그 성장세가 지속될 가능성이 있는지를 살펴보세요. 이를 위해 관련 통계 자료나 시장 보고서를 참고할 수 있습니다. 빠르게 성장하는 트렌드는 그 지속 가능성이 높을 가능성이 큽니다. 성장 속도 분석은 트렌드의 지속 가능성을 평가하는 데 중요한 지표입니다.

세 번째 방법은 트렌드에 대한 대중의 반응을 관찰하는 것입니다. 대중이 트렌드에 대해 어떻게 반응하고 있는지를 살펴보세요. 소셜 미디어, 뉴스 기사, 블로그 포스트 등을 통해 대중의 반응을 분석할 수 있습니다. 대중의 반응이 긍정적이고 지속적인 관심을 받고 있다면, 그 트렌드의 지속 가능성이 높다고 볼 수 있습니다. 대중의 반응은 트렌드의 지속 가능성을 평가하는 중요한 요소입니다.

네 번째 방법은 트렌드의 경제적, 사회적 영향을 평가하는 것입니다. 트렌드가 경제적, 사회적으로 어떤 영향을 미치고 있는지를 분석해보세요. 긍정적인 영향을 많이 미치고 있는 트렌드는 그 지속 가능성이 높습니다. 예를 들어, 경제 성장을 촉진하거나 사회적 문제를 해결하는 트렌드는 지속될 가능성이 큽니다. 경제적, 사회적 영향 평가는 트렌드의 지속 가능성을 판단하는 중요한 기준입니다.

마지막으로, 전문가의 의견을 참고하는 것이 중요합니다. 해당 분야의 전문가들이 트렌드에 대해 어떻게 평가하고 있는지 들어보세요. 전문가의 의견은 트렌드의 지속 가능성을 더 객관적으로 판단하는 데 도움이 됩니다. 전문가 인터뷰, 강연, 논문 등을 통해 그들의 인사이트를 얻고, 이를 바탕으로 트렌드의 지속 가능성을 평가해보세요. 전문가의 의견은 신뢰할 수 있는 정보로, 트렌드 평가에 중요한 역할을 합니다.

글쓰기의 기본부터

출판과 마케팅까지

새로운 차원의 글쓰기를 경험하세요

성공적인 저자로서의 여정을 지금 시작하세요.

제 3 장 구조의
미학

목차 작성은 주제 설정, 큰 챕터로 나누기, 세부 주제로 나누기,
항목 정리의 4단계로 이루어집니다. 베스트셀러 목차 분석을
통해 구조, 내용, 길이, 순서, 차별화 요소를 파악해 자신의
책에 적용할 수 있습니다.

1. 목차의 마법 펼치기

목차 구성의 4단계

목차를 구성하는 첫 번째 단계는 주제를 설정하는 것입니다. 주제는 책의 전체적인 방향을 결정짓는 중요한 요소입니다. 주제를 설정할 때는 독자들이 무엇을 기대하고 있는지, 어떤 정보를 얻고자 하는지를 고려해야 합니다. 주제를 명확하게 설정하면, 책의 구조를 잡는 데 큰 도움이 됩니다. 주제 설정은 책의 전체적인 방향성을 결정하는 첫 단계입니다.

두 번째 단계는 큰 챕터로 나누는 것입니다. 주제를 중심으로 몇 가지 큰 챕터를 설정해보세요. 각 챕터는 주제를 세분화한 것으로, 책의 주요 내용을 구성합니다. 큰 챕터로 나누면, 독자들이 책의 흐름을 쉽게 이해할 수 있고, 내용이 체계적으로 정리됩니다. 큰 챕터는 주제를 구체적으로 나누어 설명하는 중요한 단계입니다.

세 번째 단계는 각 챕터를 세부 주제로 나누는 것입니다. 각 챕터를 더 작은 세부 주제로 나누어 내용을 세분화하세요. 이는 독자들이 내용을 더 쉽게 따라갈 수 있도록 도와줍니다. 세부 주제는 각 챕터의 주요 내용을 구체적으로 설명하는 데 도움이 됩니다. 세부 주제로 나누면, 내용이 더 체계적으로 정리되고, 독자들이 이해하기 쉬워집니다.

네 번째 단계는 세부 주제에 따른 항목을 정리하는 것입니다. 세부 주제를 중심으로 각 항목을 설정하여 내용을 구체적으로 정리하세요. 각 항목은 독자들이 필요한 정보를 쉽게 찾을 수 있도록 도와줍니다. 항목을 설정할 때는 논리적인 흐름을 유지하는 것이 중요합니다. 항목 정리는 책의 내용을 구체적으로 구성하는 마지막 단계입니다.

목차 구성의 4단계는 주제 설정, 큰 챕터로 나누기, 세부 주제로 나누기, 항목 정리로 이루어집니다. 이 단계를 통해 체계적이고 논리적인 목차를 구성할 수 있습니다. 이는 독자들이 책을 쉽게 이해하고 따라갈 수 있도록 도와줍니다. 목차 구성의 4단계는 책의 구조를 잡는 데 중요한 가이드라인을 제공합니다.

베스트셀러 목차 분석

베스트셀러 목차를 분석하는 첫 번째 방법은 목차의 구조를 파악하는 것입니다. 베스트셀러 책의 목차를 살펴보고, 그 구조가 어떻게 구성되어 있는지 분석해보세요. 예를 들어, 각 챕터가 어떻게 나뉘어 있고, 어떤 순서로 배치되어 있는지를 파악합니다. 베스트셀러 책의 목차는 독자들이 내용을 쉽게 이해할 수 있도록 체계적으로 구성되어 있습니다. 구조를 파악하면 자신의 책에 적용할 수 있는 유용한 힌트를 얻을 수 있습니다.

두 번째 방법은 목차의 내용과 주제를 분석하는 것입니다. 베스트셀러 책이 어떤 주제를 다루고 있으며, 그 주제가 어떻게 구성되어 있는지를 살펴보세요. 각 챕터와 항목이 주제를 어떻게 세분화하고 설명하는지 분석합니다. 베스트셀러 책의 목차는 주제가 명확하고, 내용이 논리적으로 전개되어 있습니다. 주제와 내용을 분석하면, 자신의 책의 목차를 더 명확하고 논리적으로 구성할 수 있습니다.

세 번째 방법은 목차의 길이와 상세함을 분석하는 것입니다. 베스트셀러 책의 목차가 얼마나 상세하게 구성되어 있는지를 살펴보세요. 각 챕터와 항목이 얼마나 구체적으로 설명되어 있는지 파악합니다. 베스트셀러 책의 목차는 독자들이 필요한 정보를 쉽게 찾을 수 있도록 상세하게 구성되어 있습니다. 목차의 길이와 상세함을 분석하면, 자신의 책의 목차를 더 구체적으로 구성할 수 있습니다.

네 번째 방법은 목차의 순서를 분석하는 것입니다. 베스트셀러 책의 목차가 어떤 순서로 배치되어 있는지를 살펴보세요. 내용의 전개가 어떻게 이루어지고, 각 챕터가 어떻게 연결되어 있는지를 파악합니다. 베스트셀러 책의 목차는 내용이 자연스럽게 연결되어 독자들이 쉽게 따라갈 수 있도록 구성되어 있습니다. 순서를 분석하면, 자신의 책의 목차를 더 자연스럽게 구성할 수 있습니다.

마지막으로, 베스트셀러 목차의 차별화 요소를 분석하는 것이 중요합니다. 베스트셀러 책이 다른 책과 차별화되는 요소가 무엇인지, 그 목차에 어떻게 반영되어 있는지를 살펴보세요. 독창적인 주제나 접근 방식, 특이한 구성 방식 등을 분석합니다. 차별화 요소를 분석하면, 자신의 책의 목차를 더 독창적이고 매력적으로 구성할 수 있습니다.

효과적인 목차 예시

효과적인 목차를 작성하기 위해서는 몇 가지 중요한 요소를 고려해야 합니다. 첫째, 주제에 맞는 구조를 설정해야 합니다. 예를 들어, "효과적인 시간 관리"라는 주제라면, 시간 관리의 중요성, 시간 관리 기법, 시간 관리 도구 등으로 목차를 구성할 수 있습니다. 주제에 맞는 구조를 설정하면, 독자들이 내용을 쉽게 따라갈 수 있습니다. 이는 목차 구성의 기본적인 원칙입니다.

둘째, 각 항목이 명확하게 구분되도록 구성해야 합니다. 예를 들어, "시간 관리 기법"이라는 챕터 아래에는 구체적인 기법들을 나열하고, 각 기법에 대한 설명을 추가합니다. 명확하게 구분된 항목은 독자들이 필요한 정보를 쉽게 찾을 수 있도록 도와줍니다. 각 항목이 명확하게 구분되도록 구성하는 것은 목차의 가독성을 높이는 중요한 요소입니다.

셋째, 논리적인 흐름을 유지해야 합니다. 예를 들어, 시간 관리의 기본 개념을 먼저 설명하고, 그 후에 구체적인 기법을 소개하는 방식으로 목차를 구성합니다. 논리적인 흐름을 유지하면, 독자들이 내용을 이해하기 쉽게 만들 수 있습니다. 논리적인 흐름은 목차의 일관성을 유지하는 중요한 원칙입니다.

넷째, 목차의 각 항목이 독자들에게 흥미를 끌 수 있도록 구성해야 합니다. 예를 들어, "효과적인 시간 관리"라는 챕터 아래에 "시간 도둑을 잡아라!"와 같은 흥미로운 항목을 추가합니다. 흥미로운 항목은 독자들이 책에 더 큰 관심을 가지게 만듭니다. 이는 목차의 매력을 높이는 중요한 요소입니다.

마지막으로, 목차를 구체적으로 작성해야 합니다. 각 항목이 구체적인 내용을 포함하도록 구성하면, 독자들이 책의 내용을 미리 파악하고 기대감을 가질 수 있습니다. 예를 들어, "시간 관리 도구"라는 챕터 아래에 "스마트폰 앱을 활용한 시간 관리"와 같은 구체적인 항목을 추가합니다. 구체적인 목차는 독자들에게 더 큰 신뢰감을 줍니다.

목차 작성 연습하기

목차 작성 연습은 실제로 목차를 작성해보는 과정을 통해 이루어집니다. 첫 번째로, 주제를 선택하고 그 주제에 맞는 큰 챕터를 설정해보세요. 예를 들어, "자기 계발"이라는 주제를 선택했다면, "자기 계발의 중요성", "효과적인 자기 계발 기법", "성공적인 자기 계발 사례"와 같은 큰 챕터를 설정합니다. 주제를 중심으로 큰 챕터를 설정하는 것은 목차 작성의 첫 단계입니다.

두 번째로, 각 챕터를 세부 주제로 나누어보세요. 예를 들어, "효과적인 자기 계발 기법"이라는 챕터 아래에 "목표 설정 방법", "시간 관리 기법", "스트레스 관리"와 같은 세부 주제를 추가합니다. 세부 주제로 나누면, 각 챕터의 내용을 더 구체적으로 구성할 수 있습니다. 세부 주제로 나누는 것은 목차 작성의 두 번째 단계입니다.

세 번째로, 각 세부 주제를 항목으로 나누어보세요. 예를 들어, "목표 설정 방법"이라는 세부 주제 아래에 "SMART 목표 설정", "장기 목표와 단기 목표", "목표 달성 전략"과 같은 항목을 추가합니다. 항목으로 나누면, 각 세부 주제의 내용을 더 체계적으로 정리할 수 있습니다. 항목으로 나누는 것은 목차 작성의 세 번째 단계입니다.

네 번째로, 작성한 목차를 검토하고 수정해보세요. 목차가 논리적인 흐름을 가지고 있는지, 각 항목이 명확하게 구분되어 있는지, 독자들이 쉽게 이해할 수 있는지 확인합니다. 필요한 경우, 목차의 순서를 조정하거나 항목을 추가하거나 삭제합니다. 검토와 수정은 목차 작성의 중요한 과정입니다.

마지막으로, 목차를 실제로 작성해보는 연습을 반복하세요. 다양한 주제에 대해 목차를 작성해보고, 각 주제에 맞는 구조를 고민해보세요. 반복적인 연습을 통해 목차 작성 능력을 향상시킬 수 있습니다. 목차 작성 연습은 글쓰기의 중요한 기술 중 하나입니다.

목차 수정 및 보완하기

목차를 수정하고 보완하는 첫 번째 방법은 피드백을 받는 것입니다. 작성한 목차를 주변 사람들에게 보여주고, 그들의 의견을 들어보세요. 피드백을 통해 목차의 강점과 약점을 파악하고, 필요한 수정 사항을 찾아낼 수 있습니다. 다양한 관점에서 피드백을 받으면, 목차를 더 완성도 높게 수정할 수 있습니다. 피드백은 목차를 보완하는 중요한 과정입니다.

두 번째 방법은 목차의 논리적인 흐름을 점검하는 것입니다. 목차가 논리적인 흐름을 가지고 있는지, 각 항목이 자연스럽게 연결되는지 확인해보세요. 필요한 경우, 항목의 순서를 조정하거나 추가 설명을 덧붙여 논리적인 흐름을 강화합니다. 논리적인 흐름은 독자들이 내용을 쉽게 이해할 수 있도록 도와줍니다. 논리적인 흐름 점검은 목차 수정의 중요한 요소입니다.

세 번째 방법은 목차의 상세함을 점검하는 것입니다. 각 항목이 충분히 구체적으로 설명되어 있는지, 독자들이 필요한 정보를 쉽게 찾을 수 있는지 확인해보세요. 필요한 경우, 항목을 더 구체적으로 설명하거나, 추가 항목을 덧붙여 상세함을 강화합니다. 상세한 목차는 독자들에게 더 큰 신뢰감을 줍니다. 목차의 상세함 점검은 수정과 보완의 중요한 과정입니다.

네 번째 방법은 독자의 관점에서 목차를 검토하는 것입니다. 독자들이 목차를 보고 책의 내용을 쉽게 파악할 수 있는지, 흥미를 느낄 수 있는지 점검해보세요. 필요한 경우, 항목의 제목을 더 매력적으로 수정하거나, 독자들이 흥미를 가질 만한 요소를 추가합니다. 독자의 관점에서 검토하는 것은 목차의 매력을 높이는 중요한 요소입니다.

마지막으로, 목차를 정기적으로 업데이트하는 것이 중요합니다. 글의 내용이 변경되거나 새로운 정보가 추가되면, 목차도 이에 맞게 수정해야 합니다. 정기적인 업데이트를 통해 목차를 항상 최신 상태로 유지하고, 독자들에게 정확한 정보를 제공할 수 있습니다. 정기적인 업데이트는 목차 수정과 보완의 중요한 단계입니다.

2. 독자의 마음 읽기

핵심 독자와 확산 독자 구분

독자 유형을 구분하는 첫 번째 방법은 핵심 독자와 확산 독자를 명확히 정의하는 것입니다. 핵심 독자는 책의 주요 타겟 독자로, 해당 주제에 가장 큰 관심을 가지는 사람들입니다. 예를 들어, 자기계발 서적의 핵심 독자는 자기 발전을 추구하는 직장인이나 학생일 수 있습니다. 핵심 독자는 책의 주요 독자층으로, 이들을 중심으로 내용과 마케팅 전략을 구성해야 합니다.

반면, 확산 독자는 책의 주제에 직접적인 관심은 없지만, 주변의 추천이나 흥미로운 요소로 인해 책을 읽게 되는 독자들입니다. 예를 들어, 자기계발 서적의 확산 독자는 친구나 동료의 추천으로 책을 접하게 되는 사람들입니다. 이들은 핵심 독자에 비해 관심도가 낮지만, 책의 영향력을 넓히는 데 중요한 역할을 합니다. 확산 독자는 책의 잠재적인 독자층으로 고려해야 합니다.

독자 유형을 구분하는 두 번째 방법은 각 독자의 관심사와 필요를 분석하는 것입니다. 핵심 독자와 확산 독자는 서로 다른 관심사와 필요를 가질 수 있습니다. 예를 들어, 핵심 독자는 심도 있는 정보와 구체적인 방법론을 원할 수 있으며, 확산 독자는 더 간단하고 흥미로운 정보를 원할 수 있습니다. 독자의 관심사와 필요를 분석하면, 각 독자층에 맞춘 내용을 제공할 수 있습니다.

세 번째 방법은 독자들의 행동 패턴을 분석하는 것입니다. 핵심 독자는 책을 구매하고, 적극적으로 활용하며, 관련된 다른 자료나 서적도 탐구할 가능성이 높습니다. 반면, 확산 독자는 책을 부분적으로 읽거나, 특정 챕터에만 관심을 가질 수 있습니다. 독자들의 행동 패턴을 분석하면, 각 독자층의 요구에 맞춘 마케팅 전략을 세울 수 있습니다. 이는 독자 만족도를 높이는 데 중요한 요소입니다.

마지막으로, 독자 유형을 구분하는 것은 마케팅 전략 수립에도 중요합니다. 핵심 독자와 확산 독자를 대상으로 각각 다른 접근 방식을 취하는 것이 효과적입니다. 예를 들어, 핵심 독자를 대상으로는 심도 있는 내용의 블로그 포스트나 뉴스레터를 제공하고, 확산 독자를 대상으로는 흥미로운 소셜 미디어 콘텐츠나 이벤트를 기획할 수 있습니다. 독자 유형 구분은 효과적인 마케팅 전략 수립에 중요한 역할을 합니다.

예상 독자의 페르소나 만들기

독자 페르소나를 만드는 첫 번째 단계는 독자의 인구통계학적 정보를 수집하는 것입니다. 나이, 성별, 직업, 교육 수준, 거주지 등 기본적인 인구통계학적 정보를 통해 페르소나의 기본 틀을 만듭니다. 예를 들어, 자기계발 서적의 독자 페르소나는 30대 직장인 남성으로 설정할 수 있습니다. 인구통계학적 정보는 독자 페르소나의 기초를 형성하는 중요한 요소입니다.

두 번째 단계는 독자의 심리적 특성을 분석하는 것입니다. 독자의 가치관, 동기, 목표, 관심사 등을 파악하여 페르소나에 반영합니다.

예를 들어, 독자 페르소나가 자기계발에 관심이 많고, 성취감을 중요시하는 사람이라면, 그들의 동기와 목표를 반영한 내용을 포함합니다. 심리적 특성 분석은 독자 페르소나를 더 구체적이고 현실감 있게 만듭니다.

세 번째 단계는 독자의 행동 패턴을 조사하는 것입니다. 독자가 책을 구매하고 읽는 방식, 정보 탐색 경로, 선호하는 콘텐츠 형식 등을 파악합니다. 예를 들어, 독자 페르소나가 주로 온라인 서점에서 책을 구매하고, 팟캐스트를 통해 정보를 얻는다면, 이를 반영한 마케팅 전략을 수립합니다. 행동 패턴 조사는 독자 페르소나를 실제 상황에 맞게 구성하는 데 도움이 됩니다.

네 번째 단계는 독자 페르소나의 주요 문제와 요구를 정의하는 것입니다. 독자가 어떤 문제를 해결하기 위해 책을 읽는지, 그들이 기대하는 해결책은 무엇인지를 명확히 합니다. 예를 들어, 자기계발 서적의 독자 페르소나가 시간 관리에 어려움을 겪고 있다면, 책의 내용에 시간 관리 방법을 포함시킵니다. 주요 문제와 요구를 정의하면, 독자들이 책에서 원하는 바를 정확히 파악할 수 있습니다.

마지막 단계는 독자 페르소나를 시각적으로 표현하는 것입니다. 페르소나의 이름, 사진, 간략한 프로필 등을 작성하여 시각적으로 표현하면, 팀 내에서 더 쉽게 공유하고 이해할 수 있습니다. 예를 들어, "김철수, 35세, 서울 거주, IT 회사 팀장"과 같은 형태로 표현할 수 있습니다. 시각적인 표현은 독자 페르소나를 더 현실감 있게 만들고, 팀 내에서 일관된 이해를 도모하는 데 도움이 됩니다.

독자 설문 조사 방법

독자 설문 조사를 효과적으로 수행하는 첫 번째 방법은 명확한 목표를 설정하는 것입니다. 설문 조사를 통해 무엇을 알고 싶은지, 어떤 정보를 얻고 싶은지를 명확히 정의합니다. 예를 들어, 독자의 읽기 습관, 선호하는 주제, 책에 대한 기대 등을 알고 싶다면, 이에 맞는 질문을 구성합니다. 명확한 목표 설정은 설문 조사의 방향성을 잡는 중요한 단계입니다.

두 번째 방법은 간결하고 명확한 질문을 작성하는 것입니다. 설문 질문은 쉽게 이해할 수 있도록 간결하고 명확하게 작성해야 합니다. 예를 들어, "당신이 가장 선호하는 책의 주제는 무엇인가요?"와 같은 형태로 질문을 구성합니다. 복잡한 질문은 피하고, 설문 응답자가 쉽게 답할 수 있도록 구성하는 것이 중요합니다. 간결하고 명확한 질문은 응답률을 높이는 데 도움이 됩니다.

세 번째 방법은 다양한 질문 형식을 사용하는 것입니다. 예/아니오 질문, 다지선다형 질문, 서술형 질문 등 다양한 형식을 사용하여 더 풍부한 정보를 수집합니다. 예를 들어, "당신이 가장 최근에 읽은 책은 무엇인가요?"라는 서술형 질문과 "한 달에 몇 권의 책을 읽으시나요?"라는 다지선다형 질문을 함께 사용합니다. 다양한 질문 형식은 설문 조사의 깊이를 더하는 중요한 요소입니다.

네 번째 방법은 설문 조사의 길이를 적절히 조절하는 것입니다. 너무 길거나 복잡한 설문 조사는 응답자의 피로감을 유발할 수 있습니다. 설문 조사는 5-10분 이내에 완료할 수 있도록 구성하는 것이 좋습니다. 적절한 길이의 설문 조사는 응답자의 참여도를 높이고, 더 정확한 데이터를 수집할 수 있게 합니다. 길이 조절은 설문 조사의 효과를 높이는 중요한 방법입니다.

마지막 방법은 설문 조사의 결과를 분석하고 활용하는 것입니다. 설문 조사 결과를 분석하여 독자의 요구와 기대를 파악하고, 이를 책의 내용과 마케팅 전략에 반영합니다. 예를 들어, 독자들이 특정 주제에 큰 관심을 보였다면, 그 주제를 더 강조하는 방향으로 글을 수정할 수 있습니다. 설문 조사 결과 분석은 독자 중심의 책을 만드는 데 중요한 과정입니다.

독자의 요구와 기대 분석

독자의 요구와 기대를 분석하는 첫 번째 방법은 설문 조사 결과를 기반으로 한 데이터 분석입니다. 설문 조사를 통해 수집된 데이터를 분석하여 독자들이 어떤 주제에 관심이 있는지, 어떤 정보를 필요로 하는지를 파악합니다. 데이터 분석을 통해 독자들의 요구와 기대를 명확히 정의할 수 있습니다. 예를 들어, 독자들이 시간 관리에 큰 관심을 보였다면, 그 주제를 중심으로 내용을 구성할 수 있습니다. 데이터 분석은 요구와 기대를 명확히 하는 중요한 도구입니다.

두 번째 방법은 독자 리뷰와 피드백을 분석하는 것입니다. 온라인 서점, 블로그, 소셜 미디어 등에서 독자들이 남긴 리뷰와 피드백을 통해 그들이 책에 대해 어떻게 생각하는지를 파악합니다. 독자 리뷰와 피드백은 독자들의 요구와 기대를 직접적으로 보여줍니다. 예를 들어, 독자들이 특정 챕터를 유익하게 느꼈다면, 그와 관련된 내용을 더 강화할 수 있습니다. 리뷰와 피드백 분석은 독자의 요구를 이해하는 데 중요한 자료입니다.

세 번째 방법은 독자와의 직접적인 소통을 통한 요구 파악입니다. 독자와의 인터뷰나 대화를 통해 그들의 요구와 기대를 직접 듣고 이해합니다. 직접적인 소통을 통해 더 깊이 있는 정보를 얻을 수 있으며, 독자와의 유대감을 강화할 수 있습니다. 예를 들어, 독자 모임을 개최하여 그들의 의견을 듣고, 이를 반영하는 것도 좋은 방법입니다. 직접적인 소통은 요구와 기대를 파악하는 데 효과적입니다.

네 번째 방법은 시장 트렌드와 독자의 관심사를 분석하는 것입니다. 현재 시장에서 주목받고 있는 트렌드와 독자들의 관심사를 조사하여, 책의 내용에 반영합니다. 트렌드와 관심사는 독자들의 요구와 기대를 반영하는 중요한 요소입니다. 예를 들어, 최근에 유행하는 주제를 다룬 책이 많다면, 그 주제를 중심으로 글을 구성할 수 있습니다. 시장 트렌드 분석은 독자 요구를 이해하는 데 중요한 방법입니다.

마지막으로, 독자의 요구와 기대를 반영하여 책의 내용을 수정하고 보완하는 것이 중요합니다. 분석한 결과를 바탕으로 책의 구조와 내용을 조정하여 독자들이 원하는 정보를 제공하는 데 집중합니다. 이는 독자 만족도를 높이고, 책의 성공 가능성을 높이는 데 큰 도움이 됩니다. 요구와 기대를 반영한 수정은 독자 중심의 책을 만드는 중요한 과정입니다.

독자의 피드백 반영하기

독자의 피드백을 반영하는 첫 번째 단계는 피드백을 체계적으로 수집하는 것입니다. 다양한 채널을 통해 독자들의 피드백을 수집하고, 이를 체계적으로 정리합니다. 온라인 서점의 리뷰, 소셜 미디어의 댓글, 이메일 피드백 등을 모두 포함하여 피드백을 수집합니다. 피드백 수집은 독자들의 의견을 명확히 이해하는 첫 단계입니다. 이를 통해 독자들이 어떤 부분에 대해 의견을 가지고 있는지 파악할 수 있습니다.

두 번째 단계는 피드백을 분석하고 분류하는 것입니다. 수집된 피드백을 주제별로 분류하여 어떤 부분이 가장 많이 언급되었는지, 긍정적인 피드백과 개선이 필요한 피드백을 나누어 분석합니다. 예를 들어, 특정 챕터에 대한 긍정적인 피드백이 많다면, 그 부분을 더 강화하는 방향으로 내용을 수정할 수 있습니다. 피드백 분석은 독자들의 요구를 체계적으로 이해하는 중요한 과정입니다.

세 번째 단계는 피드백을 바탕으로 구체적인 수정 계획을 세우는 것입니다. 분석된 피드백을 바탕으로 책의 내용을 어떻게 수정할지 구체적인 계획을 세웁니다. 예를 들어, 독자들이 특정 주제에 대해 더 많은 정보를 원한다면, 그 부분을 보강하여 내용을 추가합니다. 수정 계획은 피드백을 실질적으로 반영하는 중요한 단계입니다.

네 번째 단계는 수정된 내용을 테스트하는 것입니다. 수정된 내용을 일부 독자들에게 미리 보여주고, 그들의 반응을 확인합니다. 이를 통해 수정된 내용이 독자들에게 긍정적인 영향을 미치는지,

추가적인 개선이 필요한지를 파악할 수 있습니다. 테스트를 통해 피드백 반영의 효과를 검증하고, 최종 수정 방향을 결정할 수 있습니다. 이는 수정의 완성도를 높이는 중요한 방법입니다.

마지막 단계는 피드백 반영 결과를 독자들에게 공유하는 것입니다. 피드백을 반영하여 수정한 내용을 독자들에게 알리고, 그들의 의견을 반영한 결과임을 강조합니다. 이는 독자들과의 신뢰를 강화하고, 그들이 책에 더 큰 관심과 애정을 가지게 만드는 데 도움이 됩니다. 피드백 반영 결과를 공유하는 것은 독자들과의 관계를 강화하는 중요한 단계입니다.

3. 시장 탐험하기

시장 크기 확인 방법

시장 크기를 확인하는 첫 번째 방법은 시장 조사 보고서를 활용하는 것입니다. 주요 시장 조사 기관이나 연구 기관에서 발행한 보고서를 통해 해당 분야의 시장 규모를 파악할 수 있습니다. 이러한 보고서는 시장의 현재 상태, 성장 가능성, 주요 트렌드 등을 상세히 설명합니다. 예를 들어, 자기계발 서적의 시장 크기를 파악하기 위해 해당 분야의 최신 보고서를 참고하면 정확한 정보를 얻을 수 있습니다.

두 번째 방법은 관련 통계 자료를 분석하는 것입니다. 정부 기관이나 공신력 있는 단체에서 제공하는 통계 자료를 통해 시장의 크기를 확인할 수 있습니다. 예를 들어, 출판 산업에 대한 통계 자료를 통해 연간 출판되는 책의 수, 판매량, 독자층 등을 분석할 수 있습니다. 통계 자료는 객관적인 데이터를 기반으로 시장 크기를 파악하는 데 유용합니다.

세 번째 방법은 업계 전문가의 의견을 듣는 것입니다. 출판 업계에 종사하는 전문가나 컨설턴트와의 인터뷰를 통해 시장 크기에 대한 인사이트를 얻을 수 있습니다. 전문가들은 최신 동향과 미래 전망에 대해 깊이 있는 정보를 제공할 수 있습니다. 예를 들어, 출판사 편집자나 마케팅 전문가의 의견을 통해 자기계발 서적의 시장 크기를 더 정확히 이해할 수 있습니다.

네 번째 방법은 경쟁 도서의 판매 데이터를 분석하는 것입니다.

베스트셀러 목록이나 온라인 서점의 판매 순위 등을 통해 경쟁 도서의 판매량을 확인하고, 이를 바탕으로 시장 크기를 추정할 수 있습니다. 예를 들어, 유사한 주제를 다룬 책이 얼마나 팔렸는지를 분석하면 자기계발 서적의 시장 규모를 가늠할 수 있습니다. 판매 데이터 분석은 시장 크기를 실질적으로 파악하는 데 중요한 방법입니다.

마지막으로, 독자 설문 조사를 통해 시장 크기를 확인할 수 있습니다. 설문 조사를 통해 독자들이 특정 주제에 얼마나 관심이 있는지, 얼마나 자주 책을 구매하는지를 파악할 수 있습니다. 이를 통해 잠재적인 시장 크기를 추정할 수 있습니다. 예를 들어, 자기계발에 관심 있는 독자들을 대상으로 설문 조사를 실시하면, 그들의 구매 의향을 분석할 수 있습니다. 독자 설문 조사는 시장 크기를 직접적으로 파악하는 데 유용한 도구입니다.

기회 분석

기회 분석의 첫 번째 단계는 현재 시장의 미충족 수요를 파악하는 것입니다. 독자들이 원하는데도 충분히 제공되지 않은 주제나 내용이 무엇인지 조사해보세요. 이를 위해 독자 설문 조사, 리뷰 분석 등을 통해 독자들의 불만 사항이나 추가 요구 사항을 확인합니다. 예를 들어, 자기계발 서적에서 특정 기술이나 방법론에 대한 정보가 부족하다는 의견이 많다면, 그 부분을 보완한 책을 기획할 수 있습니다. 미충족 수요 파악은 새로운 기회를 찾는 첫 단계입니다.

두 번째 단계는 시장의 성장 가능성을 평가하는 것입니다. 현재 시장이 얼마나 성장할 가능성이 있는지를 분석합니다. 이를 위해 시장 조사 보고서나 통계 자료를 참고하여 해당 분야의 성장률, 미래 전망 등을 파악합니다. 예를 들어, 자기계발 서적 시장이 최근 몇 년간 꾸준히 성장하고 있다면, 앞으로도 지속적인 성장이 기대됩니다. 성장 가능성 평가를 통해 시장의 기회를 더 명확히 이해할 수 있습니다.

세 번째 단계는 경쟁 도서를 분석하여 기회를 찾는 것입니다. 경쟁 도서가 어떤 주제를 다루고 있으며, 그들의 강점과 약점이 무엇인지 파악합니다. 이를 통해 자신만의 차별화된 내용을 제공할 수 있는 기회를 찾습니다. 예를 들어, 경쟁 도서들이 특정 주제에 집중하고 있다면, 그와는 다른 독창적인 주제를 다루어 차별화할 수 있습니다. 경쟁 도서 분석은 기회를 찾는 중요한 방법입니다.

네 번째 단계는 트렌드 분석을 통해 기회를 발견하는 것입니다. 현재 시장에서 주목받고 있는 트렌드와 독자들의 관심사를 분석하여 새로운 기회를 찾습니다. 예를 들어, 디지털 기술의 발전으로 인해 온라인 교육이나 디지털 자기계발에 대한 관심이 높아지고 있다면, 그 주제를 중심으로 책을 기획할 수 있습니다. 트렌드 분석은 시장의 기회를 파악하는 데 중요한 역할을 합니다.

마지막으로, 기회 분석 결과를 바탕으로 실행 가능한 전략을 수립하는 것이 중요합니다. 발견된 기회를 실현하기 위해 필요한 자원, 시간, 인력 등을 고려하여 구체적인 실행 계획을 세웁니다. 예를 들어, 미충족 수요를 반영한 새로운 책을 기획하고, 이를 효과적으로 마케팅할 수 있는 전략을 수립합니다. 실행 가능한 전략 수립은 기회를 실질적으로 활용하는 데 중요한 과정입니다.

경쟁 도서와의 차별화 전략

경쟁 도서와의 차별화 전략을 수립하는 첫 번째 방법은 독창적인 주제를 선택하는 것입니다. 기존의 경쟁 도서들이 다루지 않은 새로운 주제를 탐구해보세요. 예를 들어, 자기계발 서적의 경우 전통적인 주제인 시간 관리나 목표 설정 대신, 디지털 시대에 맞춘 새로운 자기계발 방법론을 다룰 수 있습니다. 독창적인 주제는 독자들의 관심을 끌고, 경쟁 도서와 차별화되는 중요한 요소입니다.

두 번째 방법은 차별화된 시각을 제시하는 것입니다. 동일한 주제를 다루더라도 새로운 시각이나 접근 방식을 통해 독자들에게 신선한 느낌을 줄 수 있습니다. 예를 들어, 기존의 자기계발 서적이 주로 개인적인 성취에 초점을 맞추었다면, 사회적 관계와의 상호작용을 통한 자기계발을 제안할 수 있습니다. 차별화된 시각은 독자들에게 새로운 인사이트를 제공하며, 경쟁 도서와의 차별화를 이끌어냅니다.

세 번째 방법은 독특한 글쓰기 스타일을 활용하는 것입니다. 글의 톤과 스타일을 차별화하여 독자들에게 독특한 경험을 제공하세요. 예를 들어, 더 캐주얼하고 대화체로 글을 쓰거나, 유머를 가미하여 독자들이 더 쉽게 읽을 수 있도록 할 수 있습니다. 독특한 글쓰기 스타일은 독자들에게 친근감을 주고, 책을 더 재미있게 읽을 수 있도록 도와줍니다. 이는 경쟁 도서와의 중요한 차별화 요소입니다.

네 번째 방법은 추가적인 가치를 제공하는 것입니다. 책의 내용뿐만 아니라, 독자들이 실제로 활용할 수 있는 추가 자료나 도구를 제공하세요. 예를 들어, 자기계발 서적에 관련된 워크북, 온라인 강의, 모바일 앱 등을 함께 제공하면, 독자들이 책을 더 효과적으로 활용할 수 있습니다. 추가적인 가치는 독자들에게 더 큰 만족감을 주고, 경쟁 도서와의 차별화를 강화합니다.

마지막으로, 독자와의 상호작용을 강화하는 것이 중요합니다. 독자들과의 소통을 통해 그들의 요구와 피드백을 반영하고, 지속적인 관계를 유지하세요. 예를 들어, 소셜 미디어를 통해 독자들과 소통하고, 그들의 질문에 답변하거나, 독자 이벤트를 개최할 수 있습니다. 독자와의 상호작용은 책의 충성 독자를 확보하는 데 중요한 역할을 합니다. 이는 경쟁 도서와의 차별화를 이끌어내는 중요한 전략입니다.

출판 시장 트렌드 파악

출판 시장 트렌드를 파악하는 첫 번째 방법은 주요 출판 관련 뉴스와 보고서를 지속적으로 모니터링하는 것입니다. 출판 업계의 최신 동향을 다루는 뉴스 사이트나 전문 저널을 구독하여 최신 정보를 빠르게 습득하세요. 이러한 자료들은 시장의 변화를 이해하는 데 큰 도움이 됩니다. 예를 들어, 최근 출판 시장에서 전자책의 성장세가 두드러진다면, 그에 맞춘 출판 전략을 구상할 수 있습니다.

두 번째 방법은 업계 전문가와의 네트워킹입니다. 출판 업계의 전문가나 인플루언서와의 교류를 통해 시장의 트렌드를 파악할 수 있습니다. 컨퍼런스, 세미나, 워크숍 등에 참석하여 전문가들의 의견을 듣고, 최신 정보를 얻는 것도 좋은 방법입니다. 예를 들어,

업계 컨퍼런스에서 발표된 새로운 기술이나 마케팅 트렌드를 통해 시장의 방향성을 파악할 수 있습니다.

세 번째 방법은 소셜 미디어와 온라인 커뮤니티를 활용하는 것입니다. 트위터, 페이스북, 인스타그램 등 소셜 미디어 플랫폼에서 출판 관련 논의를 팔로우하고, 독자들의 반응을 관찰하세요. 온라인 커뮤니티나 포럼에서도 출판 시장의 트렌드를 논의하는 글을 찾아볼 수 있습니다. 소셜 미디어와 온라인 커뮤니티는 실시간으로 시장의 변화를 파악하는 데 유용한 도구입니다.

네 번째 방법은 경쟁 도서의 마케팅 전략을 분석하는 것입니다. 경쟁 도서가 어떤 마케팅 전략을 사용하고 있으며, 어떤 채널을 통해 독자들과 소통하는지 분석하세요. 이를 통해 현재 시장에서 효과적인 마케팅 전략을 파악할 수 있습니다. 예를 들어, 베스트셀러 도서가 소셜 미디어 캠페인을 통해 성공을 거두고 있다면, 그 전략을 참고하여 자신의 마케팅 계획을 세울 수 있습니다.

마지막으로, 독자 설문 조사와 피드백을 통해 트렌드를 파악하는 것이 중요합니다. 독자들이 어떤 주제에 관심이 있는지, 어떤 형태의 책을 선호하는지를 조사하여 출판 시장의 트렌드를 이해할 수 있습니다. 예를 들어, 독자들이 점점 더 짧고 간결한 형식의 책을 선호하고 있다면, 그에 맞춘 책을 기획할 수 있습니다. 독자 설문 조사와 피드백은 시장의 변화를 반영하는 중요한 자료입니다.

시장 진입 전략 수립

시장 진입 전략을 수립하는 첫 번째 단계는 목표 시장을 명확히 정의하는 것입니다. 자신이 타겟으로 삼고자 하는 독자층을 명확히 하고, 그들의 요구와 기대에 맞춘 전략을 세워야 합니다. 예를 들어, 자기계발 서적의 경우, 20대에서 40대 사이의 직장인들을 주요 타겟으로 설정할 수 있습니다. 목표 시장을 명확히 정의하는 것은 전략 수립의 첫 단계입니다.

두 번째 단계는 경쟁 분석을 통해 자신의 위치를 파악하는 것입니다. 경쟁 도서와 출판사들의 강점과 약점을 분석하여, 자신의 차별화된 강점을 찾아내세요. 이를 통해 시장에서 자신만의 독특한 위치를 확보할 수 있습니다. 예를 들어, 경쟁 도서들이 주로 전통적인 자기계발 방법론을 다루고 있다면, 새로운 접근 방식을 제안하는 책을 기획할 수 있습니다. 경쟁 분석은 전략 수립의 중요한 요소입니다.

세 번째 단계는 효과적인 마케팅 전략을 수립하는 것입니다. 목표 시장과 경쟁 분석을 바탕으로, 독자들에게 효과적으로 다가갈 수 있는 마케팅 계획을 세웁니다. 소셜 미디어 캠페인, 이메일 마케팅, 블로그 포스팅 등 다양한 채널을 활용하여 독자들과 소통하세요. 예를 들어, 자기계발 서적의 경우, 직장인 커뮤니티나 링크드인에서의 마케팅 활동이 효과적일 수 있습니다. 마케팅 전략 수립은 시장 진입의 핵심입니다.

네 번째 단계는 출판 형식을 다양화하는 것입니다. 전통적인 종이책 외에도 전자책, 오디오북 등 다양한 형식으로 출판하여 더 많은 독자들에게 다가가세요. 이는 특히 디지털 시대에 효과적인 전략입니다. 예를 들어, 자기계발 서적을 전자책과 오디오북으로 동시에 출판하여, 독자들이 원하는 형식으로 책을 소비할 수 있도록 합니다. 출판 형식의 다양화는 시장 진입을 용이하게 합니다.

마지막으로, 피드백을 통한 지속적인 개선이 중요합니다. 시장에 진입한 후에는 독자들의 피드백을 적극적으로 수용하고, 이를 바탕으로 책의 내용을 개선하세요. 이를 통해 독자 만족도를 높이고, 충성 독자를 확보할 수 있습니다. 예를 들어, 첫 번째 에디션의 피드백을 반영하여 두 번째 에디션을 수정하고 보완하는 것도 좋은 방법입니다. 지속적인 개선은 시장에서의 경쟁력을 유지하는 데 필수적입니다.

제 4 장

페이지 구성의 예술

페이지 구성의 예술에서는 한 페이지 글쓰기의 기본 원칙, 사실과 주장의 조화, 각 페이지의 주제 설정, 간결하고 강렬한 문장 작성, 페이지별 구성 연습, 그리고 강력한 도입부 작성 등을 중점적으로 다룹니다. 이들은 간결하고 명확한 글쓰기, 논리적인 구조, 다양한 표현 기법, 시각적 요소의 활용, 그리고 독자의 관점을 고려함으로써, 독자의 이해를 돕고 글의 효과를 극대화하는데 도움이 됩니다.

1. 한 페이지의 마법

한 페이지 글쓰기의 기본

한 페이지 글쓰기의 기본은 간결함과 명확함입니다. 한 페이지 안에 모든 정보를 효과적으로 담기 위해서는 불필요한 장황한 설명을 배제하고, 핵심만을 전달하는 것이 중요합니다. 이를 위해서는 먼저 주제를 명확히 설정하고, 그 주제에 집중하여 글을 구성해야 합니다. 각 문장은 주제를 뒷받침하는 정보나 의견으로 구성되며, 독자가 한 번에 이해할 수 있도록 명확하게 표현합니다. 간결하고 명확한 글쓰기는 독자의 이해를 돕고, 글의 효과를 극대화합니다.

두 번째로, 한 페이지 글쓰기는 논리적인 구조를 갖추어야 합니다. 서론, 본론, 결론의 구조를 유지하며, 각 부분이 자연스럽게 연결되도록 합니다. 서론에서는 주제를 소개하고, 본론에서는 주제를 뒷받침하는 근거와 예시를 제시합니다. 결론에서는 전체 내용을 요약하고, 독자에게 주는 메시지를 명확히 합니다. 논리적인 구조는 독자가 글의 흐름을 쉽게 따라갈 수 있도록 도와줍니다.

세 번째로, 다양한 표현 기법을 활용하여 글을 풍부하게 만듭니다. 예를 들어, 비유나 은유를 사용하여 글의 내용을 더 생동감 있게 표현할 수 있습니다. 또한, 질문을 던지거나, 독자에게 직접 말을 거는 방식으로 글을 더 흥미롭게 만들 수 있습니다. 다양한 표현 기법은 글의 매력을 높이고, 독자의 관심을 끌어모읍니다.

네 번째로, 시각적 요소를 적절히 활용합니다. 한 페이지 글쓰기는 텍스트뿐만 아니라, 표, 그래프, 이미지 등을 활용하여 정보를 전달할 수 있습니다. 시각적 요소는 복잡한 정보를 더 쉽게 이해할 수 있도록 도와주며, 글의 가독성을 높입니다. 예를 들어, 중요한 데이터를 표나 그래프로 제시하면, 독자들이 더 쉽게 정보를 파악할 수 있습니다.

마지막으로, 독자의 관점을 고려하여 글을 작성합니다. 독자가 어떤 정보를 필요로 하는지, 어떤 방식으로 글을 읽기를 원하는지를 고려하여 글을 구성합니다. 독자의 관심사와 요구를 반영한 글은 더 큰 호응을 얻을 수 있습니다. 독자의 관점을 고려하는 것은 한 페이지 글쓰기의 중요한 원칙입니다.

사실, 주장, 근거를 조화롭게

사실, 주장, 근거를 조화롭게 구성하는 첫 번째 방법은 각각의 요소를 명확히 구분하는 것입니다. 사실은 객관적인 정보나 데이터를 제공하고, 주장은 자신의 의견이나 결론을 제시합니다. 근거는 주장을 뒷받침하는 논리적 이유나 증거를 제시합니다. 각각의 요소를 명확히 구분하여 독자가 쉽게 이해할 수 있도록 구성합니다. 예를 들어, "현재 실업률은 5%입니다(사실). 이는 경제가 회복되지 않고 있음을 의미합니다(주장). 실업률이 3% 이하로 내려가야 경제 회복이 가능합니다(근거)."와 같이 명확히 구분합니다.

두 번째 방법은 사실을 기반으로 주장을 전개하는 것입니다. 주장은 사실에 기반해야 독자에게 신뢰감을 줄 수 있습니다. 객관적인 데이터를 통해 주장을 강화하고, 독자가 논리적으로 납득할 수 있도록 합니다.

예를 들어, "최근 연구에 따르면, 독서가 스트레스를 68% 감소시킨다고 합니다(사실). 따라서 정기적인 독서 습관을 갖는 것이 정신 건강에 매우 중요합니다(주장)."와 같이 사실에 근거한 주장을 전개합니다.

세 번째 방법은 주장을 뒷받침하는 근거를 다양하게 제시하는 것입니다. 근거는 논리적 이유, 실험 결과, 사례 연구 등 다양한 형태로 제시할 수 있습니다. 다양한 근거를 통해 주장을 더 강력하게 만들 수 있습니다. 예를 들어, "시간 관리가 중요한 이유는 첫째, 생산성을 높일 수 있기 때문입니다. 연구에 따르면, 체계적인 시간 관리는 업무 효율성을 20% 이상 향상시킵니다. 둘째, 스트레스를 줄일 수 있습니다. 시간을 효율적으로 관리하면, 업무 부담을 줄이고 스트레스를 감소시킬 수 있습니다."와 같이 다양한 근거를 제시합니다.

네 번째 방법은 주장과 근거를 연결하는 논리적 흐름을 유지하는 것입니다. 주장을 뒷받침하는 근거를 제시할 때는 논리적인 흐름을 유지하여 독자가 자연스럽게 이해할 수 있도록 합니다. 예를 들어, "정기적인 운동은 건강에 많은 이점을 제공합니다. 운동은 체중을 조절하고, 심혈관 건강을 개선하며, 정신 건강에도 긍정적인 영향을 미칩니다. 이러한 이유로, 정기적인 운동은 건강 유지에 필수적입니다."와 같이 논리적인 흐름을 유지합니다.

마지막으로, 독자의 반론을 미리 고려하여 대응하는 것도 중요합니다. 독자가 제기할 수 있는 반론을 예상하고, 이에 대한 답변을 미리 제시하면 주장이 더 설득력 있게 됩니다. 예를 들어, "일부 사람들은 독서가 시간을 낭비하는 것이라고 생각할 수 있습니다.

그러나 연구에 따르면, 독서는 스트레스를 감소시키고, 인지 기능을 향상시키며, 심지어 수명을 연장할 수도 있습니다."와 같이 반론에 대한 대응을 제시합니다.

페이지별 주제 설정

페이지별 주제 설정의 첫 번째 단계는 전체 책의 주제를 분해하는 것입니다. 책의 전체 주제를 몇 가지 주요 주제로 나누고, 각 주요 주제를 다시 세부 주제로 분해합니다. 이를 통해 각 페이지마다 다룰 주제를 명확히 할 수 있습니다. 예를 들어, "시간 관리"라는 전체 주제를 "목표 설정", "우선순위 관리", "시간 절약 기법" 등으로 나누고, 각 주제를 페이지별로 설정합니다. 전체 주제 분해는 페이지별 주제 설정의 기본 단계입니다.

두 번째 단계는 각 페이지의 목적을 명확히 하는 것입니다. 페이지마다 어떤 목적을 가지고 있는지, 독자에게 어떤 정보를 전달하고자 하는지를 명확히 합니다. 예를 들어, 한 페이지는 독자에게 새로운 개념을 소개하는 목적을 가질 수 있고, 다른 페이지는 실용적인 팁을 제공하는 목적을 가질 수 있습니다. 페이지의 목적을 명확히 하면, 글의 방향성을 잡을 수 있습니다.

세 번째 단계는 페이지별로 주요 포인트를 설정하는 것입니다. 각 페이지에서 전달하고자 하는 주요 포인트를 미리 설정하여, 글을 작성할 때 그 포인트에 집중할 수 있도록 합니다. 예를 들어, "목표 설정" 페이지에서는 "SMART 목표 설정 방법"을 주요 포인트로 설정합니다. 주요 포인트 설정은 글의 일관성을 유지하는 데 도움이 됩니다.

네 번째 단계는 페이지의 구조를 계획하는 것입니다. 각 페이지가 어떤 구조로 구성될지를 미리 계획하여, 글을 작성할 때 더 체계적으로 접근할 수 있습니다. 예를 들어, 페이지의 첫 부분에서는 주제를 소개하고, 중간 부분에서는 주요 포인트를 설명하며, 마지막 부분에서는 요약과 결론을 제시합니다. 페이지 구조 계획은 글의 가독성을 높이는 중요한 단계입니다.

마지막 단계는 페이지별 주제를 독자와 연결하는 것입니다. 각 페이지의 주제가 독자와 어떻게 연결되는지를 고민하여, 독자에게 더 큰 공감을 줄 수 있도록 합니다. 예를 들어, "시간 절약 기법" 페이지에서는 "바쁜 현대인들에게 필요한 시간 절약 방법"이라는 식으로 독자와 연결합니다. 주제를 독자와 연결하면, 글이 더 흥미롭고 유익하게 다가갈 수 있습니다.

짧고 강렬한 문장 쓰기

짧고 강렬한 문장을 쓰는 첫 번째 방법은 불필요한 단어를 제거하는 것입니다. 문장에서 의미를 전달하는 데 필요 없는 단어들을 제거하여 문장을 간결하게 만듭니다. 예를 들어, "그는 매우 빠르게 달렸다" 대신 "그는 달렸다"로 수정합니다. 불필요한 단어를 제거하면 문장이 더 명확하고 강렬하게 전달될 수 있습니다. 간결한 문장은 독자의 집중력을 높이는 데 도움이 됩니다.

두 번째 방법은 강한 동사를 사용하는 것입니다. 문장에서 강한 동사를 사용하면 문장이 더 생동감 있게 전달됩니다. 예를 들어, "그는 문을 열었다" 대신 "그는 문을 밀어 열었다"로 표현합니다. 강한 동사는 독자에게 더 강한 인상을 남기고, 문장을 더 활기차게 만듭니다. 이는 문장의 강렬함을 높이는 중요한 요소입니다.

세 번째 방법은 짧은 문장을 활용하는 것입니다. 긴 문장보다는 짧은 문장을 사용하여 명확하고 간결하게 전달합니다. 예를 들어, "그는 빠르게 달려가서 문을 열고 방으로 들어갔다" 대신 "그는 달렸다. 문을 열었다. 방으로 들어갔다"로 나눠서 표현합니다. 짧은 문장은 독자가 쉽게 이해할 수 있고, 글의 리듬을 조절하는 데도 유용합니다.

네 번째 방법은 강렬한 시작과 끝을 만드는 것입니다. 문장의 시작과 끝을 강렬하게 만들어 독자에게 강한 인상을 남깁니다. 예를 들어, "어둠 속에서 그는 한 발자국씩 나아갔다" 대신 "어둠 속, 그는 한 걸음씩 전진했다"로 표현합니다. 강렬한 시작과 끝은 독자의 주의를 끌고, 문장의 효과를 극대화합니다.

마지막으로, 비유와 은유를 사용하여 문장을 풍부하게 만드는 것도 중요합니다. 비유와 은유를 통해 문장을 더 생동감 있고, 인상적으로 만들 수 있습니다. 예를 들어, "그의 눈은 밝았다" 대신 "그의 눈은 별처럼 빛났다"로 표현합니다. 비유와 은유는 문장의 강렬함을 높이고, 독자에게 더 깊은 인상을 남깁니다.

페이지별 구성 연습

페이지별 구성을 연습하는 첫 번째 방법은 샘플 페이지를 작성해보는 것입니다. 각 페이지에 대해 주제를 설정하고, 그 주제에 맞는 내용을 간결하게 구성해보세요. 예를 들어, "시간 관리" 페이지를 작성할 때는 목표 설정, 우선순위 관리, 시간 절약 기법 등의 내용을 포함합니다. 샘플 페이지 작성은 실제 글쓰기 연습을 통해 구성을 익히는 중요한 과정입니다.

두 번째 방법은 기존의 잘 구성된 페이지를 분석하는 것입니다. 베스트셀러 책이나 유명 작가의 글을 분석하여 그들의 페이지 구성 방식을 파악합니다. 예를 들어, 특정 페이지가 어떻게 시작되고, 주요 포인트를 어떻게 전달하며, 결론을 어떻게 맺는지를 분석합니다. 이를 통해 자신만의 구성 방식을 개선할 수 있습니다.

세 번째 방법은 다양한 글쓰기 스타일을 시도해보는 것입니다. 같은 주제를 여러 가지 스타일로 작성해보며, 어떤 구성이 가장 효과적인지 실험해보세요. 예를 들어, 서술형, 질문형, 대화형 등 다양한 스타일로 페이지를 작성해보고, 각각의 장단점을 파악합니다. 다양한 스타일 시도는 자신의 글쓰기 범위를 넓히는 데 도움이 됩니다.

네 번째 방법은 피드백을 통해 구성을 개선하는 것입니다. 작성한 샘플 페이지를 다른 사람들에게 보여주고, 그들의 피드백을 받아보세요. 피드백을 통해 구성의 강점과 약점을 파악하고, 필요한 부분을 수정합니다. 예를 들어, 특정 부분이 이해하기 어렵다는 피드백을 받으면, 그 부분을 더 명확하게 수정합니다. 피드백은 구성을 개선하는 중요한 과정입니다.

마지막으로, 꾸준히 연습하는 것이 중요합니다. 글쓰기는 반복적인 연습을 통해 개선될 수 있습니다. 정기적으로 페이지 구성을 연습하고, 새로운 아이디어를 시도해보세요. 꾸준한 연습은 글쓰기 능력을 향상시키고, 더 나은 페이지 구성을 만들어낼 수 있습니다. 연습은 완벽을 만든다는 말을 기억하고, 꾸준히 노력하세요.

2. 도입부의 힘

강력한 도입부 쓰기

강력한 도입부를 쓰기 위해서는 첫째, 독자의 호기심을 자극하는 질문을 던지는 것이 효과적입니다. 예를 들어, "왜 우리는 항상 시간에 쫓기며 살아갈까?"와 같은 질문은 독자에게 생각할 거리를 제공하고, 글을 계속 읽고 싶은 욕구를 불러일으킵니다. 호기심을 자극하는 질문은 독자의 주의를 끌고, 도입부에서 강한 인상을 남길 수 있습니다.

두 번째로, 강렬한 사실이나 통계를 제시하는 것이 좋습니다. 독자가 쉽게 접하지 못한 놀라운 사실이나 중요한 통계는 독자의 관심을 끌기에 충분합니다. 예를 들어, "하루에 24시간 중 8시간은 스마트폰을 사용하는데 소비된다."와 같은 사실은 독자에게 강한 인상을 줄 수 있습니다. 강렬한 사실이나 통계는 도입부를 더 인상적이고 기억에 남게 만듭니다.

세 번째로, 감정을 불러일으키는 이야기를 시작하는 것입니다. 감정적인 이야기는 독자의 공감을 이끌어내고, 글에 더 깊이 빠져들게 합니다. 예를 들어, "어느 날, 나는 모든 것을 잃은 기분이 들었다. 그날의 경험이 내 인생을 바꿨다."와 같은 이야기로 시작하면 독자는 글에 더 큰 관심을 가지게 됩니다. 감정을 불러일으키는 도입부는 독자와의 연결을 강화합니다.

네 번째로, 독자가 공감할 수 있는 상황을 제시하는 것이 중요합니다. 독자가 쉽게 이해하고 공감할 수 있는 상황을 제시하면,

그들은 글에 더 큰 관심을 갖게 됩니다. 예를 들어, "매일 아침 출근길에 느끼는 스트레스, 당신도 그렇지 않나요?"와 같은 도입부는 독자의 일상과 연결되기 때문에 효과적입니다. 공감할 수 있는 상황 제시는 도입부를 더 친근하게 만듭니다.

마지막으로, 독자의 기대를 뒤엎는 반전이나 놀라움을 제공하는 것도 좋은 방법입니다. 예상치 못한 반전이나 놀라움은 독자의 주의를 끌고, 글에 대한 호기심을 증폭시킵니다. 예를 들어, "사실, 성공의 비밀은 더 많은 노력이 아니라, 더 적은 노력에 있다."와 같은 반전은 독자의 흥미를 자극할 수 있습니다. 반전이나 놀라움을 제공하는 도입부는 독자를 글에 몰입하게 만듭니다.

첫 문장의 중요성

첫 문장은 독자가 글에 대한 첫 인상을 형성하는 데 중요한 역할을 합니다. 첫 문장은 독자의 관심을 끌고, 그들이 글을 계속 읽도록 유도해야 합니다. 첫째, 첫 문장은 명확하고 강렬해야 합니다. 독자가 바로 이해할 수 있는 명확한 표현과 강렬한 인상을 주는 내용이 필요합니다. 예를 들어, "모든 것은 그날 아침에 시작되었다."와 같은 첫 문장은 독자의 호기심을 자극합니다.

두 번째로, 첫 문장은 글의 톤과 분위기를 설정하는 역할을 합니다. 첫 문장을 통해 글의 전체적인 분위기를 파악할 수 있어야 합니다. 예를 들어, "고요한 아침, 나는 삶의 진정한 의미를 깨달았다."와 같은 첫 문장은 차분하고 깊이 있는 분위기를 설정합니다. 첫 문장을 통해 독자는 글의 분위기를 예상할 수 있습니다.

세 번째로, 첫 문장은 독자의 감정을 불러일으켜야 합니다. 감정적인 첫 문장은 독자가 글에 더 깊이 빠져들게 합니다. 예를 들어, "그날의 비극은 모든 것을 바꿔놓았다."와 같은 첫 문장은 독자의 감정을 자극하여 글에 대한 관심을 높입니다. 감정적인 첫 문장은 독자와의 연결을 강화합니다.

네 번째로, 첫 문장은 글의 주제를 명확히 제시해야 합니다. 첫 문장에서 글의 주요 주제가 드러나야 독자가 어떤 내용을 기대할 수 있는지 알 수 있습니다. 예를 들어, "시간 관리의 비밀은 간단한 습관 변화에 있다."와 같은 첫 문장은 주제를 명확히 제시합니다. 주제가 명확한 첫 문장은 독자의 기대를 명확히 합니다.

마지막으로, 첫 문장은 독자의 상상력을 자극해야 합니다. 독자가 첫 문장을 읽고 나서 더 많은 내용을 알고 싶어지도록 만드는 것이 중요합니다. 예를 들어, "어느 날 갑자기, 모든 것이 변했다."와 같은 첫 문장은 독자의 상상력을 자극하여 글을 계속 읽게 만듭니다. 상상력을 자극하는 첫 문장은 독자의 호기심을 자극합니다.

베스트셀러 도입부 사례

베스트셀러의 도입부는 독자의 관심을 끄는 데 탁월한 예시를 제공합니다. 첫 번째 사례로, 조지 오웰의 '1984'는 "It was a bright cold day in April, and the clocks were striking thirteen."으로 시작합니다. 이 첫 문장은 독자에게 일상적인 것과 비일상적인 것을 결합하여 강렬한 인상을 남깁니다. 시간과 날씨를 묘사하면서도, "열세 시"라는 비정상적인 요소를 통해 호기심을 자극합니다.

두 번째 사례는 하퍼 리의 '앵무새 죽이기'입니다. "When he was nearly thirteen, my brother Jem got his arm badly broken at the elbow." 이 첫 문장은 독자에게 질문을 던집니다. 어떻게 해서 그의 형의 팔이 부러졌을까? 이 질문은 독자의 흥미를 유발하고, 이야기를 계속 읽고 싶게 만듭니다.

세 번째 사례는 가브리엘 가르시아 마르케스의 '백 년의 고독'입니다. "Many years later, as he faced the firing squad, Colonel Aureliano Buendía was to remember that distant afternoon when his father took him to discover ice." 이 첫 문장은 현재의 긴박한 상황과 과거의 평화로운 기억을 대조하여 독자의 관심을 끕니다. 이 대조는 독자에게 이야기의 깊이를 예고하며, 흥미를 불러일으킵니다.

네 번째 사례는 도스토옙스키의 '죄와 벌'입니다. "On an exceptionally hot evening early in July a young man came out of the garret in which he lodged in S. Place and walked slowly, as though in hesitation, towards K. Bridge." 이 첫 문장은 특정한 시간과 장소를 설정하여 독자를 이야기 속으로 끌어들입니다. 동시에, 주인공의 행동과 심리 상태를 암시하여 독자의 관심을 끕니다.

마지막 사례는 제인 오스틴의 '오만과 편견'입니다. "It is a truth universally acknowledged, that a single man in possession of a good fortune, must be in want of a wife." 이 첫 문장은 사회적 통념을 명확하고 간결하게 표현하며, 동시에 약간의 유머를 담고 있습니다. 이로써 독자는 이야기의 사회적 배경과 분위기를 즉시 이해하게 됩니다.

도입부와 본문 연결하기

도입부와 본문을 효과적으로 연결하기 위해 첫 번째로 고려해야 할 점은 도입부에서 제시한 질문이나 문제를 본문에서 자연스럽게 이어가는 것입니다. 예를 들어, 도입부에서 "왜 우리는 항상 시간에 쫓기는가?"라는 질문을 던졌다면, 본문에서는 이 질문에 대한 답을 차례대로 제시합니다. 질문과 문제를 자연스럽게 이어가면 독자는 글의 흐름을 쉽게 따라갈 수 있습니다.

두 번째로, 도입부에서 제시한 주요 주제를 본문에서 구체적으로 확장해 나가는 것이 중요합니다. 도입부에서 주제를 간략하게 소개하고, 본문에서는 그 주제에 대한 자세한 설명과 예시를 제공합니다. 예를 들어, 도입부에서 "시간 관리의 중요성"을 언급했다면, 본문에서는 시간 관리 기법, 성공 사례 등을 자세히 설명합니다. 주제를 확장하여 연결하면 글의 일관성을 유지할 수 있습니다.

세 번째로, 도입부에서 사용한 톤과 스타일을 본문에서도 유지하는 것이 필요합니다. 도입부에서 유머를 사용했다면, 본문에서도 일관되게 유머를 사용하여 독자에게 친근감을 줍니다. 일관된 톤과 스타일은 독자가 글을 읽는 동안 일관된 경험을 할 수 있도록 도와줍니다. 이는 독자의 몰입을 유지하는 데 중요합니다.

네 번째로, 도입부에서 독자의 호기심을 자극한 요소를 본문에서 풀어내는 것이 효과적입니다. 예를 들어, 도입부에서 "어느 날 갑자기, 모든 것이 변했다."라고 시작했다면, 본문에서는 그 변화를 일으킨 사건과 과정을 상세히 설명합니다. 독자의 호기심을 만족시키는 과정은 글의 흥미를 높이는 데 도움이 됩니다.

마지막으로, 도입부에서 제시한 주요 인물이나 사건을 본문에서 지속적으로 언급하여 연결성을 유지하는 것이 중요합니다. 도입부에서 특정 인물이나 사건을 언급했다면, 본문에서도 그 인물이나 사건과 관련된 내용을 지속적으로 다루어야 합니다. 이는 독자가 글의 흐름을 따라가는 데 도움이 되며, 글의 일관성을 유지하는 데 중요합니다.

독자의 시선을 끄는 기술

독자의 시선을 끄는 첫 번째 기술은 강렬한 비유나 은유를 사용하는 것입니다. 독특하고 창의적인 비유는 독자의 상상력을 자극하고, 글에 대한 관심을 높입니다. 예를 들어, "그의 눈은 밤하늘의 별처럼 반짝였다."와 같은 비유는 독자에게 강한 인상을 남깁니다. 비유와 은유는 글을 더 생동감 있게 만들고, 독자의 시선을 끄는 데 효과적입니다.

두 번째 기술은 독자와의 직접적인 대화를 유도하는 것입니다. 독자에게 질문을 던지거나, 그들의 경험을 묻는 방식으로 글을 시작하면 독자는 더 큰 관심을 가지게 됩니다. 예를 들어, "당신은 아침에 일어나 가장 먼저 무엇을 하시나요?"와 같은 질문은 독자가 자신의 경험을 떠올리게 하고, 글에 더 몰입하게 만듭니다. 직접적인 대화는 독자와의 연결을 강화합니다.

세 번째 기술은 감각적인 묘사를 사용하는 것입니다. 독자의 오감을 자극하는 묘사는 글을 더 생생하게 만들고, 독자의 시선을 끌기에 충분합니다. 예를 들어, "햇살이 따뜻하게 내리쬐는 아침, 커피 향이 코끝을 간지럽혔다."와 같은 묘사는 독자가 장면을 생생하게 상상할 수 있도록 도와줍니다. 감각적인 묘사는 글의 몰입감을 높입니다.

네 번째 기술은 반전을 사용하는 것입니다. 독자의 예상을 뒤엎는 반전은 글의 흥미를 극대화하고, 주의를 끌기에 효과적입니다. 예를 들어, "그는 모든 것을 잃었지만, 그것이 오히려 그의 삶을 변화시키는 계기가 되었다."와 같은 반전은 독자의 호기심을 자극합니다. 반전은 독자가 글에 더 깊이 빠져들게 만듭니다.

마지막으로, 독자의 시선을 끄는 기술은 일상적인 경험과 연결하는 것입니다. 독자가 쉽게 공감할 수 있는 일상적인 경험을 글에 포함하면, 독자는 더 큰 관심을 가지게 됩니다. 예를 들어, "매일 아침 출근길, 우리는 어떤 생각을 하시나요?"와 같은 문장은 독자의 일상과 연결되어 친근감을 줍니다. 일상적인 경험과의 연결은 독자의 관심을 끄는 효과적인 방법입니다.

3. 본문의 흐름

논리적 흐름 유지하기

논리적 흐름을 유지하는 첫 번째 방법은 글의 구조를 미리 계획하는 것입니다. 서론, 본론, 결론의 기본 구조를 유지하고, 각 부분이 자연스럽게 연결되도록 구성합니다. 예를 들어, 서론에서 제기한 질문을 본론에서 답변하고, 결론에서 요약 및 추가 의견을 제시합니다. 구조적인 계획은 글의 논리적 흐름을 유지하는 기본입니다.

두 번째 방법은 명확한 주제 문장을 사용하는 것입니다. 각 단락의 첫 문장에 주제를 명확히 제시하고, 그 뒤에 이를 뒷받침하는 설명이나 예시를 추가합니다. 예를 들어, "시간 관리는 성공의 열쇠이다."라는 주제 문장 다음에, 구체적인 시간 관리 기법을 설명합니다. 주제 문장은 독자가 글의 흐름을 쉽게 이해할 수 있도록 돕습니다.

세 번째 방법은 일관된 논리적 연결어를 사용하는 것입니다. 각 문단과 문장을 연결하는 논리적 연결어를 사용하여 글의 흐름을 매끄럽게 합니다. 예를 들어, "첫째로, 둘째로, 마지막으로"와 같은 순차적 연결어를 사용하거나, "그러나, 따라서, 반면에"와 같은 대조적 연결어를 사용하여 논리적 연결을 강화합니다. 연결어는 글의 논리적 일관성을 유지하는 데 필수적입니다.

네 번째 방법은 예시와 근거를 통해 주장을 뒷받침하는 것입니다. 주장을 제시한 후, 이를 뒷받침하는 구체적인 예시와 근거를 제공하여 독자가 논리를 쉽게 따라갈 수 있도록 합니다. 예를 들어, "효과적인 시간 관리는 스트레스를 줄일 수 있다."라는 주장 뒤에, 시간 관리가 스트레스 감소에 미친 긍정적 영향을 연구한 사례를 제시합니다. 예시와 근거는 논리적 흐름을 강화합니다.

마지막으로, 반복과 요약을 통해 논리적 흐름을 유지합니다. 중요한 포인트나 개념은 반복적으로 언급하고, 글의 주요 내용을 주기적으로 요약하여 독자의 이해를 돕습니다. 예를 들어, 각 단락의 끝에서 주요 포인트를 요약하거나, 글의 중간에서 주요 내용을 다시 한 번 정리합니다. 반복과 요약은 논리적 흐름을 유지하고, 독자가 내용을 기억하기 쉽게 만듭니다.

단락 구성 방법

단락을 구성하는 첫 번째 방법은 한 단락에 하나의 주제를 집중하는 것입니다. 각 단락은 하나의 명확한 주제를 중심으로 구성되어야 합니다. 예를 들어, "효과적인 시간 관리 기법"이라는 주제를 다루는 단락에서는 그 주제와 관련된 내용만 포함합니다. 주제를 명확히 하고, 이를 중심으로 단락을 구성하면 독자가 내용을 쉽게 이해할 수 있습니다.

두 번째 방법은 주제 문장과 뒷받침 문장을 사용하는 것입니다. 단락의 첫 문장은 주제를 명확히 제시하고, 그 뒤에 이를 뒷받침하는 설명이나 예시를 추가합니다. 예를 들어, "시간 관리는 성공의 열쇠이다."라는 주제 문장 다음에, 구체적인 시간 관리 기법을 설명합니다. 주제 문장과 뒷받침 문장은 단락의 구조를 명확히 하고, 논리적 흐름을 강화합니다.

세 번째 방법은 단락 내에서 일관된 논리적 연결을 유지하는 것입니다. 단락 내에서 문장들이 자연스럽게 연결되도록 논리적 연결어를 사용하여 흐름을 유지합니다. 예를 들어, "첫째로, 둘째로, 마지막으로"와 같은 순차적 연결어를 사용하거나, "그러나, 따라서, 반면에"와 같은 대조적 연결어를 사용하여 논리적 연결을 강화합니다. 연결어는 단락의 일관성을 유지하는 데 중요합니다.

네 번째 방법은 구체적인 예시와 증거를 포함하는 것입니다. 주장을 제시한 후, 이를 뒷받침하는 구체적인 예시와 증거를 제공하여 독자가 논리를 쉽게 따라갈 수 있도록 합니다. 예를 들어, "효과적인 시간 관리는 스트레스를 줄일 수 있다."라는 주장 뒤에, 시간 관리가 스트레스 감소에 미친 긍정적 영향을 연구한 사례를 제시합니다. 예시와 증거는 단락의 신뢰성을 높입니다.

마지막으로, 단락의 길이를 적절히 조절하는 것이 중요합니다. 단락이 너무 길면 독자가 이해하기 어려워지고, 너무 짧으면 내용이 부족하게 느껴질 수 있습니다. 각 단락은 하나의 주제를 충분히 설명할 수 있을 만큼의 길이로 구성하되, 독자가 쉽게 읽을 수 있도록 적절히 조절합니다. 단락의 길이를 조절하는 것은 독자의 가독성을 높이는 중요한 요소입니다.

핵심 메시지 강조하기

핵심 메시지를 강조하는 첫 번째 방법은 반복입니다. 중요한 메시지는 글의 여러 부분에서 반복적으로 언급하여 독자에게 기억에 남도록 합니다. 예를 들어, "효과적인 시간 관리는 성공의 열쇠이다."라는 메시지를 서론, 본론, 결론에서 반복하여 강조합니다. 반복은 핵심 메시지를 강화하고, 독자의 기억에 오래 남게 합니다.

두 번째 방법은 시각적 강조 기법을 사용하는 것입니다. 글의 중요한 부분을 강조하기 위해 굵은 글씨, 기울임꼴, 밑줄 등의 시각적 기법을 사용합니다. 예를 들어, "시간 관리의 중요성"을 강조하기 위해 굵은 글씨로 표기합니다. 시각적 강조 기법은 독자가 중요한 부분을 쉽게 식별할 수 있도록 도와줍니다.

세 번째 방법은 핵심 메시지를 요약하는 것입니다. 각 단락의 끝이나 글의 마지막 부분에서 핵심 메시지를 요약하여 강조합니다. 예를 들어, "따라서, 효과적인 시간 관리는 성공과 스트레스 감소에 중요한 역할을 합니다."와 같이 요약합니다. 요약은 핵심 메시지를 명확히 하고, 독자가 내용을 이해하기 쉽게 만듭니다.

네 번째 방법은 비유와 예시를 통해 메시지를 전달하는 것입니다. 비유와 예시는 독자가 메시지를 더 쉽게 이해하고 기억할 수 있도록 도와줍니다. 예를 들어, "시간 관리는 우리의 삶을 조직하는 도구입니다. 잘 관리된 시간은 마치 정돈된 책상처럼 우리의 업무를 효율적으로 만듭니다."와 같은 비유를 사용합니다. 비유와 예시는 메시지를 생생하게 전달하는 데 효과적입니다.

마지막으로, 핵심 메시지를 강조하는 질문을 던지는 것도 좋은 방법입니다. 독자에게 중요한 질문을 던져 메시지에 대해 생각하게 만듭니다. 예를 들어, "효과적인 시간 관리가 당신의 삶에 어떤 변화를 가져올 수 있을까요?"와 같은 질문을 통해 독자가 메시지에 대해 깊이 생각하게 합니다. 질문은 독자의 참여를 유도하고, 메시지를 강조하는 데 효과적입니다.

본문의 전개와 마무리

본문을 효과적으로 전개하기 위해 첫 번째로 중요한 것은 서론에서 제시한 주제를 본문에서 체계적으로 확장하는 것입니다. 서론에서 언급한 주제를 본문에서 구체적으로 설명하고, 다양한 관점에서 분석하여 독자의 이해를 돕습니다. 예를 들어, "시간 관리"라는 주제를 다룰 때, 본문에서는 목표 설정, 우선순위 관리, 시간 절약 기법 등을 차례로 설명합니다. 주제를 체계적으로 확장하는 것은 본문의 전개를 원활하게 만듭니다.

두 번째로, 본문에서는 다양한 예시와 사례를 활용하여 주제를 구체화합니다. 실제 사례나 통계를 통해 주장을 뒷받침하면 독자가 내용을 더 쉽게 이해하고 공감할 수 있습니다. 예를 들어, "효과적인 시간 관리는 생산성을 높인다."라는 주장을 뒷받침하기 위해, 시간 관리를 통해 성공한 인물들의 사례를 제시합니다. 예시와 사례는 본문을 풍부하게 만들고, 주장의 신뢰성을 높입니다.

세 번째로, 본문의 각 단락은 논리적으로 연결되어야 합니다. 각 단락이 독립적으로 존재하는 것이 아니라, 서로 유기적으로 연결되어 하나의 일관된 흐름을 형성해야 합니다. 이를 위해 논리적 연결어를 사용하여 단락 간의 전환을 매끄럽게 합니다. 예를 들어, "또한", "따라서", "반면에"와 같은 연결어를 사용하여 단락 간의 논리적 흐름을 유지합니다. 논리적 연결은 본문의 일관성을 강화합니다.

네 번째로, 본문의 중간 부분에서 요약과 반복을 통해 주요 포인트를 재강조하는 것도 효과적입니다. 중요한 내용은 여러 번

언급하여 독자가 기억할 수 있도록 하고, 중간 중간 요약을 통해 내용을 다시 상기시킵니다. 예를 들어, "다시 말해, 시간 관리는 성공적인 삶을 위한 필수 요소입니다."와 같이 중간에 요약합니다. 요약과 반복은 독자의 이해를 돕고, 본문의 흐름을 강화합니다.

마지막으로, 본문을 마무리할 때는 결론에서 주요 포인트를 요약하고, 독자에게 주는 메시지를 명확히 합니다. 결론에서는 본문에서 다룬 주요 내용을 간략히 정리하고, 독자가 얻어야 할 교훈이나 행동 지침을 제시합니다. 예를 들어, "결론적으로, 효과적인 시간 관리는 우리의 삶을 더욱 풍요롭게 만듭니다. 지금 바로 시간 관리 계획을 세워보세요."와 같이 마무리합니다. 명확한 결론은 본문을 깔끔하게 마무리하고, 독자에게 강한 인상을 남깁니다.

문단 전환의 기술

문단 전환의 첫 번째 기술은 논리적 연결어를 사용하는 것입니다. 논리적 연결어는 문단 간의 흐름을 자연스럽게 이어주는 역할을 합니다. 예를 들어, "그러나", "따라서", "반면에" 등의 연결어를 사용하여 문단 간의 논리적 관계를 명확히 합니다. 논리적 연결어는 글의 일관성을 유지하고, 독자가 내용을 쉽게 따라갈 수 있도록 돕습니다.

두 번째 기술은 문단의 마지막 문장을 다음 문단의 시작 문장과 연관시키는 것입니다. 문단의 마지막 문장에서 다음 문단의 주제를 암시하거나, 연결되는 내용을 제시하여 자연스럽게 이어가도록 합니다. 예를 들어, "시간 관리는 우리 삶에 중요한 영향을 미칩니다."라는 문장을 다음 문단에서 "이제, 시간 관리가 어떻게 우리의 생산성을 높이는지 살펴보겠습니다."로 이어갑니다. 이는 독자의 읽기 흐름을 끊지 않고, 자연스럽게 이어줍니다.

세 번째 기술은 질문을 사용하여 문단을 전환하는 것입니다. 새로운 문단의 시작에서 독자에게 질문을 던져 흥미를 유발하고, 주제를 전환합니다. 예를 들어, "왜 우리는 항상 시간에 쫓기는 삶을 살고 있을까요?"라는 질문을 통해 새로운 주제로 넘어갑니다. 질문은 독자의 관심을 끌고, 문단 전환을 매끄럽게 만듭니다.

네 번째 기술은 반복을 통해 문단을 전환하는 것입니다. 중요한 개념이나 단어를 반복하여 다음 문단으로 자연스럽게 이어갑니다. 예를 들어, "효과적인 시간 관리가 중요합니다. 그렇다면, 시간 관리를 어떻게 실천할 수 있을까요?"와 같이 반복을 사용하여 문단을 전환합니다. 반복은 독자의 기억에 남기고, 글의 일관성을 유지합니다.

마지막으로, 문단 전환의 기술로는 일관된 톤과 스타일을 유지하는 것이 중요합니다. 글의 전체적인 톤과 스타일이 일관되게 유지되면, 문단 전환이 더 자연스럽게 느껴집니다. 예를 들어, 글의 톤이 친근하고 대화체라면, 모든 문단에서 그 톤을 유지하여 일관성을 제공합니다. 일관된 톤과 스타일은 독자가 글을 읽는 동안 몰입감을 유지하는 데 도움이 됩니다.

제 5 장

논리와
설득의 무기

글쓰기의 논리와 설득력을 높이기 위해서는 주제 설정, 일관성 유지, 간결함, 구체적인 예시와 데이터 사용, 쉬운 단어와 표현, 논리적 순서 등을 중요시해야 합니다. 논리적 오류를 피하고, 독자의 수준에 맞게 글을 써야 합니다. 비유와 상징, 감정적 호소 등을 통해 설득력 있는 문장을 만드는 방법노 중요합니다.

1. 논리적 글쓰기

글의 통일성과 유기성

글의 통일성과 유기성을 유지하기 위해 첫 번째로 중요한 것은 주제를 명확히 설정하는 것입니다. 글을 쓰기 전에 전체적인 주제를 명확히 하고, 그 주제에 집중하여 글을 전개합니다. 예를 들어, "효과적인 시간 관리"라는 주제를 선택했다면, 모든 문단과 내용이 이 주제를 중심으로 전개되어야 합니다. 주제를 명확히 설정하면 글의 통일성이 유지됩니다.

두 번째로, 글의 각 부분이 서로 유기적으로 연결되도록 구성합니다. 서론, 본론, 결론의 구조를 유지하고, 각 부분이 자연스럽게 이어지도록 합니다. 예를 들어, 서론에서 제기한 질문에 대해 본론에서 답변하고, 결론에서 요약 및 추가 의견을 제시합니다. 유기적인 구성은 독자가 글의 흐름을 쉽게 따라갈 수 있도록 도와줍니다.

세 번째로, 일관된 톤과 스타일을 유지하는 것이 중요합니다. 글의 전체적인 톤과 스타일이 일관되게 유지되면, 글의 통일성과 유기성이 강화됩니다. 예를 들어, 친근하고 대화체의 톤을 선택했다면, 글의 모든 부분에서 그 톤을 일관되게 유지합니다. 일관된 톤과 스타일은 독자의 몰입감을 높입니다.

네 번째로, 반복과 요약을 통해 중요한 포인트를 강조합니다. 중요한 내용은 글의 여러 부분에서 반복적으로 언급하고, 주요 내용을 주기적으로 요약하여 독자의 이해를 돕습니다. 예를 들어,

각 단락의 끝에서 주요 포인트를 요약하거나, 글의 중간에서 중요한 내용을 다시 한 번 정리합니다. 반복과 요약은 글의 일관성과 통일성을 유지하는 데 도움이 됩니다.

마지막으로, 피드백을 받아 글을 수정하고 보완하는 것이 중요합니다. 글을 완성한 후, 다른 사람들에게 피드백을 받아 통일성과 유기성이 잘 유지되고 있는지 확인합니다. 피드백을 통해 필요한 부분을 수정하고 보완하여 글의 완성도를 높입니다. 피드백은 글의 통일성과 유기성을 강화하는 중요한 과정입니다.

명료하고 구체적인 글쓰기

명료하고 구체적인 글쓰기를 위해 첫 번째로 중요한 것은 간결한 문장을 사용하는 것입니다. 불필요한 수식어나 장황한 설명을 피하고, 핵심만을 간결하게 전달합니다. 예를 들어, "그는 매우 빠르게 달렸다" 대신 "그는 달렸다"와 같이 간결하게 표현합니다. 간결한 문장은 독자가 내용을 쉽게 이해할 수 있도록 도와줍니다.

두 번째로, 구체적인 예시와 데이터를 포함하는 것이 필요합니다. 추상적인 개념을 설명할 때는 구체적인 예시나 데이터를 통해 내용을 명확히 합니다. 예를 들어, "효과적인 시간 관리는 생산성을 높인다"라는 주장을 할 때, 실제 사례나 통계를 통해 이를 뒷받침합니다. 구체적인 예시와 데이터는 글의 신뢰성을 높이고, 독자의 이해를 돕습니다.

세 번째로, 명확한 주제 문장을 사용하는 것이 중요합니다. 각 단락의 첫 문장에 주제를 명확히 제시하고, 그 주제에 대한 설명을 이어갑니다. 예를 들어, "시간 관리 기법에는 여러 가지가 있다"라는 주제 문장을 사용한 후, 구체적인 기법들을 설명합니다. 명확한 주제 문장은 독자가 글의 흐름을 쉽게 따라갈 수 있도록 합니다.

네 번째로, 전문 용어나 어려운 단어의 사용을 피하거나, 필요할 경우 그 의미를 명확히 설명합니다. 독자들이 쉽게 이해할 수 있도록 쉬운 단어와 표현을 사용하고, 불가피하게 어려운 용어를 사용할 경우 간단한 설명을 추가합니다. 예를 들어, "프로크래스티네이션(procrastination)"을 사용할 경우, "일을 미루는 습관"이라고 설명합니다. 이는 독자의 이해를 돕습니다.

마지막으로, 글의 구조를 명확히 하는 것이 중요합니다. 서론, 본론, 결론의 구조를 유지하고, 각 부분이 자연스럽게 연결되도록 합니다. 예를 들어, 서론에서는 주제를 소개하고, 본론에서는 주제를 구체적으로 설명하며, 결론에서는 전체 내용을 요약하고 결론을 제시합니다. 명확한 구조는 글의 일관성을 유지하고, 독자가 내용을 쉽게 따라갈 수 있도록 합니다.

쉽게 이해할 수 있는 글쓰기

쉽게 이해할 수 있는 글쓰기를 위해 첫 번째로 고려해야 할 점은 독자의 수준에 맞춘 글을 작성하는 것입니다. 독자가 이해할 수 있는 수준의 용어와 표현을 사용하고, 어려운 개념은 쉽게 풀어서 설명합니다. 예를 들어, "경제 지표"라는 용어를 사용할 때는 "경제 상황을 나타내는 숫자"라고 설명을 덧붙입니다. 독자의 수준에 맞춘 글쓰기는 이해를 돕습니다.

두 번째로, 문장을 짧고 간결하게 구성하는 것이 중요합니다. 긴 문장은 독자의 이해를 어렵게 할 수 있으므로, 짧고 명확한 문장을 사용하여 내용을 전달합니다. 예를 들어, "그는 매우 빠르게 달렸다" 대신 "그는 달렸다"와 같이 간결하게 표현합니다. 짧고 간결한 문장은 독자가 쉽게 이해할 수 있도록 도와줍니다.

세 번째로, 논리적인 순서에 따라 내용을 전개합니다. 논리적인 흐름을 유지하여 독자가 글의 전개를 쉽게 따라갈 수 있도록 합니다. 예를 들어, 원인과 결과, 문제와 해결책, 질문과 답변 등의 논리적 구조를 사용합니다. 논리적인 순서는 독자의 이해를 돕습니다.

네 번째로, 비유와 예시를 통해 내용을 쉽게 설명합니다. 추상적인 개념이나 복잡한 내용을 설명할 때는 비유와 예시를 사용하여 쉽게 풀어냅니다. 예를 들어, "시간 관리는 우리의 삶을 조직하는 도구입니다. 잘 관리된 시간은 마치 정돈된 책상처럼 우리의 업무를 효율적으로 만듭니다."와 같은 비유를 사용합니다. 비유와 예시는 독자의 이해를 돕습니다.

마지막으로, 시각적 요소를 활용하여 이해를 돕습니다. 표, 그래프, 이미지 등을 사용하여 복잡한 정보를 시각적으로 전달합니다. 예를 들어, 시간 관리 기법을 설명할 때는 표나 다이어그램을 통해 시각적으로 제시합니다. 시각적 요소는 독자가 정보를 더 쉽게 이해할 수 있도록 도와줍니다.

논리적 오류 피하기

논리적 오류를 피하기 위해 첫 번째로 중요한 것은 주장을 뒷받침하는 충분한 증거를 제시하는 것입니다. 주장을 제시할 때는 그에 대한 구체적인 증거와 예시를 함께 제공하여 논리를 강화합니다. 예를 들어, "효과적인 시간 관리는 생산성을 높인다"라는 주장을 할 때, 실제 사례나 통계를 통해 이를 뒷받침합니다. 충분한 증거는 논리적 오류를 피하는 데 도움이 됩니다.

두 번째로, 일반화를 피하는 것입니다. 특정 사례를 일반화하여 전체를 판단하는 오류를 피하기 위해서는 다양한 사례와 데이터를 분석하고, 이를 바탕으로 주장을 전개합니다. 예를 들어, 한 명의 성공 사례만을 바탕으로 "모든 사람은 이렇게 해야 성공할 수 있다"라고 주장하는 것은 논리적 오류입니다. 다양한 사례와 데이터를 고려하여 일반화를 피합니다.

세 번째로, 감정적 호소에 의존하지 않는 것입니다. 감정에 호소하는 주장은 논리적 근거가 부족할 수 있습니다. 따라서, 감정적 호소보다는 객관적인 증거와 논리적인 설명을 중심으로 글을 전개합니다. 예를 들어, "이 방법을 사용하지 않으면 실패할 것입니다"라는 감정적 호소보다는, "이 방법을 사용하면 성공 확률이 높아집니다"와 같은 객관적인 설명을 사용합니다.

네 번째로, 인과관계를 명확히 하는 것이 중요합니다. 두 사건이 동시에 발생한다고 해서 한 사건이 다른 사건의 원인이라고 단정짓는 오류를 피해야 합니다. 예를 들어, "비가 오는 날에는 우산을 많이 팔린다"는 사실이지만, 비가 오는 것이 우산 판매의 원인이라고 단정짓기보다는, 비와 우산 판매 사이의 관계를 명확히 설명합니다. 인과관계를 명확히 하는 것은 논리적 오류를 피하는 데 중요합니다.

마지막으로, 주장의 일관성을 유지하는 것이 중요합니다. 글의 전체 논리와 일관되게 주장을 전개하고, 앞서 제시한 주장과 모순되지 않도록 합니다. 예를 들어, 처음에는 "시간 관리가 중요하다"라고 주장하고, 나중에 "시간 관리는 중요하지 않다"라고 주장하는 것은 논리적 오류입니다. 주장의 일관성을 유지하여 논리적 오류를 피합니다.

논리 전개의 단계

논리 전개의 첫 번째 단계는 주제 설정입니다. 글을 시작하기 전에 전체적인 주제를 명확히 설정하고, 그 주제를 중심으로 글을 전개합니다. 주제 설정은 글의 방향을 정하는 중요한 단계입니다. 예를 들어, "시간 관리의 중요성"이라는 주제를 설정합니다.

두 번째 단계는 서론에서 주제를 소개하는 것입니다. 서론에서는 주제를 간략히 소개하고, 독자에게 글의 전체적인 방향을 제시합니다. 예를 들어, "이 글에서는 효과적인 시간 관리의 중요성과 이를 실천하는 방법에 대해 다룹니다."와 같이 서론을 구성합니다.

세 번째 단계는 본론에서 주제를 구체적으로 설명하는 것입니다. 본론에서는 주제를 중심으로 다양한 관점에서 분석하고, 구체적인 예시와 증거를 통해 주장을 뒷받침합니다. 예를 들어, "시간 관리 기법에는 목표 설정, 우선순위 관리, 시간 절약 기법 등이 있습니다."와 같이 본론을 구성합니다.

네 번째 단계는 결론에서 주요 내용을 요약하고, 독자에게 주는 메시지를 명확히 하는 것입니다. 결론에서는 본문에서 다룬 주요 내용을 간략히 요약하고, 독자가 얻어야 할 교훈이나 행동 지침을 제시합니다. 예를 들어, "결론적으로, 효과적인 시간 관리는 우리의 삶을 더욱 풍요롭게 만듭니다. 지금 바로 시간 관리 계획을 세워보세요."와 같이 결론을 구성합니다.

마지막으로, 전체 글의 논리적 일관성을 유지하는 것이 중요합니다. 서론, 본론, 결론의 구조를 유지하고, 각 부분이 자연스럽게 연결되도록 구성합니다. 또한, 논리적 연결어를 사용하여 문단 간의 흐름을 매끄럽게 하고, 주제 문장과 뒷받침 문장을 사용하여 논리를 명확히 합니다. 논리적 일관성은 독자가 글의 흐름을 쉽게 따라갈 수 있도록 도와줍니다.

2. 설득력 있는 문장 만들기

간결한 문장 만들기

간결한 문장을 만들기 위해 첫 번째로 중요한 것은 불필요한 단어를 제거하는 것입니다. 문장을 명확하게 전달하기 위해 필요 없는 수식어나 장황한 설명을 제거합니다. 예를 들어, "그는 매우 빠르게 달렸다" 대신 "그는 달렸다"로 표현하면 더 간결해집니다. 불필요한 단어를 제거하면 문장이 명확해지고, 독자가 이해하기 쉽습니다.

두 번째로, 주어와 동사를 가까이 배치하는 것이 중요합니다. 주어와 동사 사이에 불필요한 단어를 많이 넣지 않도록 합니다. 예를 들어, "그는, 여러 가지 생각을 하면서, 천천히 걸어갔다" 대신 "그는 천천히 걸어갔다"로 수정합니다. 주어와 동사를 가까이 배치하면 문장이 더 간결해지고, 독자가 쉽게 이해할 수 있습니다.

세 번째로, 능동태를 사용하여 문장을 간결하게 만드는 것입니다. 수동태보다는 능동태를 사용하여 문장을 더 직접적이고 간결하게 만듭니다. 예를 들어, "그에 의해 책이 쓰여졌다" 대신 "그가 책을 썼다"로 표현합니다. 능동태는 문장을 더 명확하고 강력하게 만듭니다.

네 번째로, 복잡한 문장을 단순한 문장으로 나누는 것이 좋습니다. 긴 문장은 여러 개의 짧은 문장으로 나누어 표현합니다. 예를 들어, "그는 아침에 일어나서 운동을 하고, 샤워를 한 후에 아침을 먹었다" 대신 "그는 아침에 일어났다. 운동을 했다. 샤워를 한 후 아침을 먹었다"로 나눕니다. 짧은 문장은 독자가 내용을 쉽게 따라갈 수 있게 합니다.

마지막으로, 단어의 선택에 신중해야 합니다. 간결하면서도 의미를 정확히 전달할 수 있는 단어를 선택합니다. 예를 들어, "아주 큰" 대신 "거대한"을 사용하면 더 간결하게 표현할 수 있습니다. 적절한 단어 선택은 문장의 간결함과 명확성을 높입니다.

비유와 상징 사용법

비유와 상징을 사용하여 글을 풍부하게 만드는 첫 번째 방법은 일상적인 사물을 활용하는 것입니다. 독자가 쉽게 이해할 수 있는 일상적인 사물을 비유나 상징으로 사용하면, 메시지를 더 효과적으로 전달할 수 있습니다. 예를 들어, "그의 눈은 별처럼 빛났다"라는 표현은 독자에게 강렬한 이미지를 제공합니다. 일상적인 사물은 독자가 쉽게 공감할 수 있는 비유와 상징을 만들어냅니다.

두 번째 방법은 감각적인 언어를 사용하는 것입니다. 시각, 청각, 촉각, 후각, 미각 등 다양한 감각을 자극하는 언어를 사용하여 비유와 상징을 더 생동감 있게 만듭니다. 예를 들어, "그의 목소리는 부드러운 벨벳처럼 귀에 감겼다"라는 표현은 독자의 감각을 자극하여 더 생생한 이미지를 제공합니다. 감각적인 언어는 독자의 상상력을 자극합니다.

세 번째 방법은 추상적인 개념을 구체화하는 것입니다. 추상적인 개념을 구체적인 이미지나 사물로 비유하여 독자가 쉽게 이해할 수 있도록 합니다. 예를 들어, "사랑은 꽃처럼 피어난다"라는 표현은 추상적인 개념인 사랑을 구체적인 이미지로 전달합니다. 추상적인 개념을 구체화하면 독자가 더 쉽게 이해할 수 있습니다.

네 번째 방법은 문화적 상징을 활용하는 것입니다. 문화적으로 공통된 의미를 가진 상징을 사용하여 독자에게 친숙한 이미지를 제공합니다. 예를 들어, "올리브 가지를 건네다"라는 표현은 평화의 상징으로 문화적으로 널리 알려져 있습니다. 문화적 상징은 독자에게 친숙한 의미를 전달합니다.

마지막으로, 비유와 상징을 사용할 때는 과하지 않게 적절히 사용하는 것이 중요합니다. 너무 많은 비유와 상징은 오히려 독자의 이해를 방해할 수 있습니다. 적절한 비유와 상징을 사용하여 메시지를 명확히 하고, 글을 풍부하게 만드는 것이 중요합니다.

문단 분할과 전환

문단 분할과 전환을 효과적으로 하기 위해 첫 번째로 중요한 것은 각 문단에 하나의 주제를 집중하는 것입니다. 각 문단은 하나의 명확한 주제를 다루며, 그 주제를 중심으로 내용을 구성합니다. 예를 들어, "효과적인 시간 관리"라는 주제를 다루는 문단에서는 그 주제와 관련된 내용만 포함합니다. 주제를 명확히 하면 독자가 내용을 쉽게 이해할 수 있습니다.

두 번째로, 논리적인 흐름을 유지하며 문단을 전환하는 것이 중요합니다. 각 문단이 독립적으로 존재하는 것이 아니라, 서로 유기적으로 연결되어 하나의 일관된 흐름을 형성해야 합니다. 이를 위해 논리적 연결어를 사용하여 문단 간의 전환을 매끄럽게 합니다. 예를 들어, "또한", "따라서", "반면에"와 같은 연결어를 사용하여 논리적 흐름을 유지합니다.

세 번째로, 문단의 길이를 적절히 조절하는 것이 필요합니다. 문단이 너무 길면 독자가 이해하기 어렵고, 너무 짧으면 내용이 부족하게 느껴질 수 있습니다. 각 문단은 하나의 주제를 충분히 설명할 수 있을 만큼의 길이로 구성하되, 독자가 쉽게 읽을 수 있도록 적절히 조절합니다. 적절한 길이의 문단은 독자의 가독성을 높입니다.

네 번째로, 문단 전환 시 독자의 관심을 끌 수 있는 요소를 추가합니다. 문단의 마지막 문장에서 다음 문단으로 자연스럽게 이어지도록 질문을 던지거나, 새로운 정보를 암시하는 방법을 사용합니다. 예를 들어, "다음으로, 우리는 시간 관리의 또 다른 중요한 측면을 살펴보겠습니다."와 같이 전환합니다. 독자의 관심을 유지하는 것은 문단 전환의 중요한 요소입니다.

마지막으로, 피드백을 받아 문단 분할과 전환을 수정하고 보완하는 것이 중요합니다. 글을 완성한 후, 다른 사람들에게 피드백을 받아 문단 분할과 전환이 잘 이루어지고 있는지 확인합니다. 피드백을 통해 필요한 부분을 수정하고 보완하여 글의 완성도를 높입니다. 피드백은 문단 분할과 전환을 강화하는 중요한 과정입니다.

감정에 호소하는 표현법

감정에 호소하는 표현법을 사용하기 위해 첫 번째로 중요한 것은 독자의 감정을 자극하는 이야기나 예시를 사용하는 것입니다. 독자가 쉽게 공감할 수 있는 감정적인 이야기나 예시는 글에 감정적인 깊이를 더하고, 독자의 관심을 끌어모읍니다. 예를 들어, "어린 시절, 나는 매일 아침 어머니의 따뜻한 손길을 느끼며 일어났다"와 같은 표현은 독자의 감정을 자극합니다.

두 번째로, 감정을 표현하는 단어와 구를 사용하는 것입니다. 감정을 직접적으로 표현하는 단어나 구를 사용하여 독자가 감정을 느낄 수 있도록 합니다. 예를 들어, "기쁨", "슬픔", "분노"와 같은 단어를 사용하여 감정을 명확히 표현합니다. 감정을 표현하는 단어와 구는 독자의 감정을 자극합니다.

세 번째로, 감정을 강화하는 비유와 상징을 사용하는 것입니다. 비유와 상징을 통해 감정을 더 생동감 있게 표현할 수 있습니다. 예를 들어, "그의 마음은 얼음처럼 차가웠다"라는 표현은 감정을 더 강렬하게 전달합니다. 비유와 상징은 감정을 더 생생하게 표현하는 데 도움이 됩니다.

네 번째로, 감정의 변화를 표현하는 것입니다. 글의 흐름 속에서 감정이 어떻게 변화하는지를 표현하여 독자가 감정의 여정을 따라갈 수 있도록 합니다. 예를 들어, "처음에는 두려웠지만, 점차 용기를 얻기 시작했다"와 같이 감정의 변화를 표현합니다. 감정의 변화는 독자가 글에 더 깊이 몰입할 수 있게 합니다.

마지막으로, 독자와의 연결을 강화하는 표현을 사용하는 것입니다. 독자에게 직접 말을 거는 방식으로 감정을 호소하면, 독자는 글에 더 큰 관심을 가지게 됩니다. 예를 들어, "당신도 이런 경험을 해본 적이 있나요?"와 같은 표현은 독자와의 연결을 강화합니다. 독자와의 연결은 감정에 호소하는 중요한 요소입니다.

설득력 있는 사례 제시

설득력 있는 사례를 제시하기 위해 첫 번째로 중요한 것은 실제 사례를 사용하는 것입니다. 실제로 일어난 사례는 독자에게 더 큰 신뢰감을 주며, 주장을 뒷받침하는 데 효과적입니다. 예를 들어, "성공적인 시간 관리의 예로, 스티브 잡스는 항상 중요한 일에 집중했다"와 같은 실제 사례를 제시합니다. 실제 사례는 주장의 신뢰성을 높입니다.

두 번째로, 구체적이고 상세한 사례를 제시하는 것입니다. 구체적이고 상세한 사례는 독자가 상황을 더 쉽게 이해하고 공감할 수 있도록 도와줍니다. 예를 들어, "한 직장인은 매일 아침 30분을 운동에 투자한 후, 업무 효율성이 20% 증가했다"와 같이 구체적으로 설명합니다. 구체적인 사례는 독자의 이해를 돕습니다.

세 번째로, 다양한 사례를 제시하는 것입니다. 여러 가지 사례를 통해 주장을 다양한 관점에서 뒷받침합니다. 예를 들어, 시간 관리의 중요성을 설명할 때, 직장인, 학생, 가정주부 등 다양한 사람들의 사례를 제시합니다. 다양한 사례는 주장의 폭넓은 적용성을 보여줍니다.

네 번째로, 사례를 통해 문제와 해결책을 명확히 제시하는 것입니다. 사례를 통해 문제가 무엇인지, 그 문제를 어떻게 해결했는지를 명확히 설명합니다. 예를 들어, "한 기업은 시간 관리가 부족하여 생산성이 떨어졌지만, 새로운 시간 관리 시스템을 도입한 후 생산성이 30% 증가했다"와 같이 설명합니다. 문제와 해결책을 명확히 제시하는 것은 설득력을 높입니다.

마지막으로, 사례를 통해 독자에게 실질적인 교훈을 제공하는 것이 중요합니다. 사례를 제시한 후, 독자가 그 사례에서 배울 수 있는 교훈을 명확히 설명합니다. 예를 들어, "이 사례를 통해, 우리는 시간 관리의 중요성을 다시 한 번 깨달을 수 있습니다"와 같이 교훈을 제시합니다. 실질적인 교훈은 독자가 글의 메시지를 더 깊이 이해하도록 돕습니다.

3. 독자와의 소통

독자의 반응 예측하기

독자의 반응을 예측하는 첫 번째 방법은 독자의 관점을 고려하는 것입니다. 글을 작성할 때, 독자가 어떤 관점에서 내용을 이해하고 반응할지를 생각해보세요. 예를 들어, "이 정보가 독자에게 어떤 의미가 있을까?"를 고민하며 글을 작성합니다. 독자의 관점을 고려하면, 그들이 어떤 반응을 보일지 더 정확히 예측할 수 있습니다.

두 번째 방법은 독자 설문 조사를 통해 피드백을 수집하는 것입니다. 설문 조사를 통해 독자들이 어떤 부분에 관심이 있는지, 어떤 반응을 보일 가능성이 높은지를 파악할 수 있습니다. 예를 들어, "이 글에서 가장 유익한 부분은 무엇인가요?"와 같은 질문을 통해 독자의 반응을 예측할 수 있습니다. 설문 조사는 독자의 반응을 예측하는 데 유용한 도구입니다.

세 번째 방법은 유사한 글에 대한 독자의 반응을 분석하는 것입니다. 이미 출판된 유사한 주제의 글에 대한 리뷰나 댓글을 분석하여 독자들이 어떤 반응을 보였는지 파악합니다. 예를 들어, 자기계발 서적에 대한 독자 리뷰를 분석하여, 독자들이 어떤 부분에 긍정적 반응을 보였는지, 어떤 부분에 불만을 가졌는지를 파악합니다. 이는 글을 작성할 때 독자의 반응을 예측하는 데 도움이 됩니다.

네 번째 방법은 독자의 경험과 요구를 이해하는 것입니다. 독자들이 어떤 경험을 가지고 있고, 어떤 요구를 가지고 있는지를 이해하면, 그들이 어떤 반응을 보일지 예측할 수 있습니다. 예를 들어, "이 독자층은 시간 관리에 어려움을 겪고 있을 것이다"라는 가정을 바탕으로 글을 작성합니다. 독자의 경험과 요구를 이해하는 것은 반응 예측의 핵심입니다.

마지막으로, 독자와의 직접적인 소통을 통해 반응을 예측하는 것도 중요합니다. 글을 작성한 후, 독자들에게 직접적으로 의견을 묻고, 그들의 반응을 듣는 것이 효과적입니다. 예를 들어, 글을 미리 읽어본 독자들에게 "이 부분에 대해 어떻게 생각하시나요?"라고 물어봅니다. 직접적인 소통은 가장 정확한 반응 예측 방법입니다.

피드백 반영하기

피드백을 효과적으로 반영하기 위해 첫 번째로 중요한 것은 피드백을 체계적으로 수집하는 것입니다. 다양한 채널을 통해 독자들의 피드백을 수집하고, 이를 체계적으로 정리합니다. 온라인 서점의 리뷰, 소셜 미디어의 댓글, 이메일 피드백 등을 모두 포함하여 피드백을 수집합니다. 체계적인 피드백 수집은 독자의 의견을 명확히 이해하는 첫 단계입니다.

두 번째로, 피드백을 분석하고 분류하는 것입니다. 수집된 피드백을 주제별로 분류하여 어떤 부분이 가장 많이 언급되었는지, 긍정적인 피드백과 개선이 필요한 피드백을 나누어 분석합니다. 예를 들어, 특정 챕터에 대한 긍정적인 피드백이 많다면, 그 부분을 더 강화하는 방향으로 내용을 수정합니다. 피드백 분석은 독자들의 요구를 체계적으로 이해하는 중요한 과정입니다.

세 번째로, 피드백을 바탕으로 구체적인 수정 계획을 세우는 것입니다. 분석된 피드백을 바탕으로 책의 내용을 어떻게 수정할지 구체적인 계획을 세웁니다. 예를 들어, 독자들이 특정 주제에 대해 더 많은 정보를 원한다면, 그 부분을 보강하여 내용을 추가합니다. 수정 계획은 피드백을 실질적으로 반영하는 중요한 단계입니다.

네 번째로, 수정된 내용을 테스트하는 것입니다. 수정된 내용을 일부 독자들에게 미리 보여주고, 그들의 반응을 확인합니다. 이를 통해 수정된 내용이 독자들에게 긍정적인 영향을 미치는지, 추가적인 개선이 필요한지를 파악할 수 있습니다. 테스트를 통해 피드백 반영의 효과를 검증하고, 최종 수정 방향을 결정할 수 있습니다.

마지막으로, 피드백 반영 결과를 독자들에게 공유하는 것이 중요합니다. 피드백을 반영하여 수정한 내용을 독자들에게 알리고, 그들의 의견을 반영한 결과임을 강조합니다. 이는 독자들과의 신뢰를 강화하고, 그들이 책에 더 큰 관심과 애정을 가지게 만드는 데 도움이 됩니다. 피드백 반영 결과를 공유하는 것은 독자들과의 관계를 강화하는 중요한 단계입니다.

대화형 글쓰기 기법

대화형 글쓰기 기법을 사용하기 위해 첫 번째로 중요한 것은 독자에게 직접 말을 거는 것입니다. 글을 읽는 독자와 직접 대화하듯이 글을 작성하여 독자와의 소통을 강화합니다. 예를 들어, "여러분은 어떻게 생각하시나요?"와 같은 질문을 사용하여 독자에게 직접 말을 겁니다. 직접적인 대화는 독자에게 친근감을 주고, 글에 더 큰 몰입감을 제공합니다.

두 번째로, 질문을 통해 독자의 참여를 유도하는 것입니다. 글의 중간중간에 질문을 던져 독자가 생각하게 하고, 글에 적극적으로 참여하게 만듭니다. 예를 들어, "이 문제를 해결하기 위해 어떤 방법을 사용해보셨나요?"와 같은 질문을 통해 독자의 참여를 유도합니다. 질문은 독자의 관심을 끌고, 글의 흐름을 생동감 있게 만듭니다.

세 번째로, 예시나 이야기를 통해 독자와의 연결을 강화하는 것입니다. 독자가 쉽게 공감할 수 있는 예시나 이야기를 사용하여 독자와의 연결을 강화합니다. 예를 들어, "저도 한때는 시간 관리에 어려움을 겪었습니다. 하지만 몇 가지 작은 변화를 통해 큰 효과를 보았습니다."와 같은 개인적인 이야기를 통해 독자와의 연결을 강화합니다. 예시와 이야기는 독자에게 친근감을 주고, 글의 몰입감을 높입니다.

네 번째로, 독자의 감정을 자극하는 표현을 사용하는 것입니다. 독자의 감정을 자극하는 표현을 사용하여 글에 감성적인 깊이를 더하고, 독자와의 소통을 강화합니다. 예를 들어, "이 방법을 사용하면, 여러분도 마찬가지로 더 많은 시간을 확보하고, 더 행복한 삶을 살 수 있습니다."와 같은 표현을 사용합니다. 감정적인 표현은 독자의 관심을 끌고, 글에 대한 공감을 높입니다.

마지막으로, 피드백을 반영하여 글을 수정하고 보완하는 것이 중요합니다. 독자들의 피드백을 받아 글을 수정하고, 독자와의 소통을 더욱 강화합니다. 피드백을 통해 필요한 부분을 수정하고 보완하여 글의 완성도를 높입니다. 피드백 반영은 대화형 글쓰기 기법을 더욱 효과적으로 만드는 중요한 과정입니다.

독자의 참여 유도하기

독자의 참여를 유도하기 위해 첫 번째로 중요한 것은 질문을 통해 독자의 의견을 묻는 것입니다. 글의 중간중간에 질문을 던져 독자가 생각하고 답변할 수 있는 기회를 제공합니다. 예를 들어, "이 주제에 대해 어떻게 생각하시나요?"와 같은 질문을 통해 독자의 참여를 유도합니다. 질문은 독자의 관심을 끌고, 글에 대한 참여를 높입니다.

두 번째로, 독자의 경험을 공유하도록 유도하는 것입니다. 글에서 다루는 주제와 관련된 독자의 경험을 묻고, 그 경험을 공유하도록 합니다. 예를 들어, "여러분도 비슷한 경험을 해보셨나요? 댓글로 공유해 주세요."와 같은 문구를 사용합니다. 독자의 경험을 공유하면, 글에 대한 관심과 참여가 높아집니다.

세 번째로, 독자가 실천할 수 있는 행동을 제안하는 것입니다. 글의 내용과 관련된 구체적인 행동을 제안하여 독자가 이를 실천하도록 유도합니다. 예를 들어, "이제부터 매일 아침 10분씩 시간을 관리해 보세요. 그 결과를 알려주세요."와 같은 제안을 합니다. 실천 가능한 행동 제안은 독자의 참여를 적극적으로 유도합니다.

네 번째로, 독자의 피드백을 적극적으로 수용하는 것입니다. 독자의 피드백을 받고, 이를 반영하여 글을 수정하고 보완합니다. 또한, 독자의 피드백에 대해 감사의 표시를 하여 그들의 의견이 중요하게 여겨진다는 느낌을 줍니다. 예를 들어, "여러분의 피드백을 반영하여 이 부분을 수정했습니다. 소중한 의견 감사합니다."와 같은 문구를 사용합니다. 피드백 수용은 독자의 참여를 높이는 중요한 요소입니다.

마지막으로, 독자와의 지속적인 소통을 유지하는 것이 중요합니다. 글을 작성한 후에도 독자와의 소통을 계속 유지하여, 그들이 글에 지속적으로 참여할 수 있도록 합니다. 예를 들어, 소셜 미디어나 블로그를 통해 독자와 지속적으로 소통합니다. 지속적인 소통은 독자의 참여를 높이고, 글에 대한 관심을 유지하는 데 도움이 됩니다.

독자와의 공감대 형성

독자와의 공감대를 형성하기 위해 첫 번째로 중요한 것은 독자의 입장에서 생각하는 것입니다. 글을 작성할 때, 독자가 어떤 감정을 느끼고, 어떤 생각을 할지를 고려합니다. 예를 들어, "이 정보를 통해 독자가 어떤 도움을 받을 수 있을까?"를 고민하며 글을 작성합니다. 독자의 입장에서 생각하면, 그들과 더 쉽게 공감대를 형성할 수 있습니다.

두 번째로, 공통된 경험을 제시하는 것입니다. 독자가 쉽게 공감할 수 있는 공통된 경험이나 상황을 제시하여 그들과의 연결을 강화합니다. 예를 들어, "우리 모두는 바쁜 일상 속에서 시간을 효율적으로 관리하는 데 어려움을 겪습니다."와 같은 문구를 사용합니다. 공통된 경험은 독자와의 공감대를 형성하는 데 효과적입니다.

세 번째로, 감정적인 표현을 사용하는 것입니다. 감정적인 표현을 통해 독자가 글에 감정적으로 반응할 수 있도록 합니다. 예를 들어, "힘들고 지친 하루를 보낸 후, 우리는 휴식이 필요합니다."와 같은 표현을 사용하여 독자의 감정을 자극합니다. 감정적인 표현은 독자와의 감정적 연결을 강화합니다.

네 번째로, 독자의 의견을 존중하고 반영하는 것입니다. 독자의 의견을 듣고, 이를 글에 반영하여 그들의 의견이 중요하게 여겨진다는 느낌을 줍니다. 예를 들어, "여러분의 의견을 반영하여 이 부분을 수정했습니다. 소중한 의견 감사합니다."와 같은 문구를 사용합니다. 의견 존중은 독자와의 신뢰를 높이고, 공감대를 강화합니다.

마지막으로, 독자와의 지속적인 소통을 유지하는 것이 중요합니다. 글을 작성한 후에도 독자와의 소통을 계속 유지하여, 그들이 글에 지속적으로 관심을 가질 수 있도록 합니다. 예를 들어, 소셜 미디어나 블로그를 통해 독자와 지속적으로 소통합니다. 지속적인 소통은 독자와의 공감대를 형성하고, 글에 대한 관심을 유지하는 데 도움이 됩니다.

제 6 장

글의
분위기와
표현

글쓰기에서 분위기와 표현은 주제, 목적, 독자의 감정,
구체적인 묘사, 어휘와 표현, 문장의 리듬 등을 고려해야
합니다. 감정과 상황에 따른 표현, 일관된 톤, 다양한
스타일, 독자의 기대에 맞추기 등을 위해 감정 단어, 상황
묘사, 비유, 은유, 문장 길이, 구조 조정, 질문 등의 기법을
활용해야 합니다.

1. 글의 톤과 스타일

글의 분위기 설정

글의 분위기를 설정하기 위해 첫 번째로 중요한 것은 주제와 목적을 명확히 하는 것입니다. 글의 주제와 목적에 따라 적절한 분위기를 설정합니다. 예를 들어, 자기계발 서적의 경우 독자에게 동기 부여를 주기 위해 긍정적이고 격려하는 분위기를 설정할 수 있습니다. 주제와 목적을 명확히 하면 글의 분위기를 효과적으로 설정할 수 있습니다.

두 번째로, 독자가 느낄 감정을 고려합니다. 독자가 글을 읽으면서 어떤 감정을 느끼기를 원하는지를 생각하고, 그에 맞는 분위기를 설정합니다. 예를 들어, 감동적인 이야기를 다룰 때는 따뜻하고 감성적인 분위기를 설정합니다. 독자의 감정을 고려한 분위기 설정은 글의 몰입감을 높입니다.

세 번째로, 구체적인 묘사를 통해 분위기를 강화합니다. 글의 분위기를 전달하기 위해 구체적이고 생동감 있는 묘사를 사용합니다. 예를 들어, "어두운 방 안에서 촛불 하나가 희미하게 빛나고 있었다"라는 묘사는 독자에게 음산한 분위기를 전달합니다. 구체적인 묘사는 글의 분위기를 생생하게 전달하는 데 도움이 됩니다.

네 번째로, 적절한 어휘와 표현을 선택합니다. 글의 분위기에 맞는 어휘와 표현을 사용하여 분위기를 강화합니다. 예를 들어, 긴장감을 높이기 위해서는 "긴장된", "불안한", "초조한" 등의 단어를 사용합니다. 어휘와 표현 선택은 분위기 설정의 중요한 요소입니다.

마지막으로, 문장의 리듬과 속도를 조절합니다. 문장의 길이와 구조를 조절하여 분위기를 조성합니다. 예를 들어, 빠르고 짧은 문장을 사용하면 긴장감을 높일 수 있고, 길고 느린 문장은 차분한 분위기를 조성합니다. 문장의 리듬과 속도 조절은 글의 분위기를 효과적으로 설정하는 방법입니다.

감정과 상황에 맞는 표현

감정과 상황에 맞는 표현을 위해 첫 번째로 중요한 것은 감정을 직접적으로 표현하는 단어를 사용하는 것입니다. 글에서 다루는 감정에 맞는 적절한 단어를 사용하여 독자에게 감정을 전달합니다. 예를 들어, "기쁨", "슬픔", "분노"와 같은 단어를 사용하여 감정을 명확히 표현합니다. 감정 단어 사용은 독자의 공감을 이끌어냅니다.

두 번째로, 상황을 구체적으로 묘사하여 감정을 강화합니다. 상황을 생생하게 묘사하여 독자가 그 상황을 쉽게 상상하고, 그에 따른 감정을 느낄 수 있도록 합니다. 예를 들어, "비가 억수같이 쏟아지는 날, 그는 우산 없이 거리를 걸었다"라는 묘사는 독자에게 외로움과 불안함을 느끼게 합니다. 구체적인 상황 묘사는 감정 전달을 강화합니다.

세 번째로, 비유와 은유를 사용하여 감정을 표현합니다. 비유와 은유는 감정을 더 생동감 있고 강렬하게 전달하는 데 효과적입니다. 예를 들어, "그의 마음은 얼음처럼 차가웠다"라는 표현은 독자에게 차가움과 냉담함을 강하게 전달합니다. 비유와 은유는 감정 표현을 풍부하게 만듭니다.

네 번째로, 문장의 길이와 구조를 조절하여 감정을 표현합니다. 짧고 간결한 문장은 긴박함과 긴장감을 전달하는 데 효과적이며, 길고 복잡한 문장은 깊은 생각과 감정을 표현하는 데 좋습니다. 예를 들어, "그는 멈췄다. 숨을 들이쉬고, 천천히 걸음을 내디뎠다."와 같은 짧은 문장은 긴장감을 전달합니다. 문장의 길이와 구조 조절은 감정 표현을 강화합니다.

마지막으로, 독자의 경험과 공감을 유도하는 질문을 사용합니다. 독자에게 직접 질문을 던져 그들이 감정을 느끼고 생각하게 만듭니다. 예를 들어, "여러분도 이런 경험을 해본 적이 있나요?"라는 질문은 독자가 자신의 경험을 떠올리게 하고, 글에 더 깊이 공감하게 만듭니다. 질문은 독자의 감정을 유도하는 효과적인 방법입니다.

일관된 톤 유지

일관된 톤을 유지하기 위해 첫 번째로 중요한 것은 글의 목적과 대상 독자를 명확히 설정하는 것입니다. 글의 목적과 대상 독자에 따라 톤을 결정하고, 그 톤을 일관되게 유지합니다. 예를 들어, 어린이를 대상으로 하는 글은 친근하고 밝은 톤을 유지하며, 전문적인 보고서는 격식 있고 정중한 톤을 유지합니다. 목적과 대상 독자를 명확히 하면 일관된 톤을 유지하기 쉽습니다.

두 번째로, 처음부터 끝까지 같은 어휘와 표현을 사용하는 것입니다. 글의 처음부터 끝까지 같은 어휘와 표현을 사용하여 톤을 일관되게 유지합니다. 예를 들어, 친근한 톤을 유지하려면 "안녕하세요", "반가워요"와 같은 표현을 지속적으로 사용합니다. 일관된 어휘와 표현은 글의 톤을 유지하는 데 중요합니다.

세 번째로, 문장의 길이와 구조를 일관되게 유지하는 것입니다. 문장의 길이와 구조를 일정하게 유지하여 글의 리듬과 흐름을 일관되게 합니다. 예를 들어, 짧고 간결한 문장을 사용하기로 결정했다면, 글 전체에서 짧고 간결한 문장을 유지합니다. 문장의 길이와 구조를 일관되게 하면 톤을 유지하기 쉽습니다.

네 번째로, 피드백을 받아 톤의 일관성을 확인하는 것입니다. 글을 작성한 후, 다른 사람들에게 읽어보게 하고 톤의 일관성을 확인합니다. 피드백을 통해 톤이 일관되게 유지되고 있는지, 필요한 부분을 수정할 수 있습니다. 피드백은 톤의 일관성을 유지하는 데 도움이 됩니다.

마지막으로, 글을 다시 읽어보며 톤을 점검하는 것이 중요합니다. 글을 완성한 후, 처음부터 끝까지 다시 읽어보며 톤이 일관되게 유지되고 있는지 확인합니다. 필요하다면 수정하여 일관된 톤을 유지합니다. 다시 읽어보며 점검하는 것은 톤의 일관성을 확인하는 중요한 과정입니다.

다양한 글쓰기 스타일

다양한 글쓰기 스타일을 사용하기 위해 첫 번째로 중요한 것은 여러 가지 글쓰기 기법을 익히는 것입니다. 서술, 설명, 묘사, 논증 등 다양한 글쓰기 기법을 익히고, 상황에 맞게 적절히 사용합니다. 예를 들어, 정보 전달을 위해 설명 기법을 사용하고, 감정 표현을 위해 묘사 기법을 사용합니다. 다양한 기법을 익히면 글의 스타일을 다양화할 수 있습니다.

두 번째로, 다양한 어휘와 표현을 사용하는 것입니다. 같은 의미의 단어라도 여러 가지 표현을 사용하여 글의 스타일을 풍부하게 만듭니다. 예를 들어, "좋다" 대신 "훌륭하다", "멋지다", "최고다" 등의 표현을 사용합니다. 다양한 어휘와 표현은 글의 스타일을 풍부하게 만듭니다.

세 번째로, 문장의 길이와 구조를 변화시키는 것입니다. 문장의 길이와 구조를 다양하게 사용하여 글의 리듬과 흐름을 조절합니다. 예를 들어, 짧은 문장과 긴 문장을 번갈아 사용하거나, 단문과 복문을 적절히 조합합니다. 문장의 길이와 구조 변화를 통해 글의 스타일을 다양화할 수 있습니다.

네 번째로, 다양한 관점과 시점을 사용하는 것입니다. 1인칭, 2인칭, 3인칭 등 다양한 시점을 사용하여 글을 작성하고, 여러 가지 관점에서 내용을 전달합니다. 예를 들어, "나는", "너는", "그는" 등의 시점을 번갈아 사용합니다. 다양한 시점과 관점은 글의 스타일을 풍부하게 만듭니다.

마지막으로, 실험적인 글쓰기를 통해 새로운 스타일을 시도하는 것이 중요합니다. 기존의 틀을 벗어나 새로운 글쓰기 방식을 시도하고, 자신의 스타일을 발전시킵니다. 예를 들어, 시적인 표현을 사용하거나, 일상적인 대화를 글로 옮기는 실험을 해봅니다. 실험적인 글쓰기는 글의 스타일을 다양화하는 데 큰 도움이 됩니다.

독자의 기대에 맞추기

독자의 기대에 맞추기 위해 첫 번째로 중요한 것은 대상 독자를 명확히 정의하는 것입니다. 글을 작성하기 전에 대상 독자가 누구인지, 그들의 기대와 요구가 무엇인지를 명확히 파악합니다.

예를 들어, 어린이를 대상으로 하는 글이라면, 그들이 이해할 수 있는 쉽고 재미있는 내용을 작성합니다. 대상 독자를 명확히 정의하면 독자의 기대에 맞추기 쉽습니다.

두 번째로, 독자의 관심사를 반영하는 것입니다. 독자가 관심을 가질 만한 주제와 내용을 선택하여 글을 작성합니다. 예를 들어, 젊은 직장인을 대상으로 하는 글이라면, 시간 관리와 자기계발에 대한 내용을 다룹니다. 독자의 관심사를 반영하면 그들의 기대를 충족시킬 수 있습니다.

세 번째로, 독자의 요구를 반영하는 것입니다. 독자가 원하는 정보를 제공하고, 그들의 질문에 답변하는 방식으로 글을 작성합니다. 예를 들어, "어떻게 하면 더 효과적으로 시간을 관리할 수 있을까?"와 같은 질문에 답하는 내용을 포함합니다. 독자의 요구를 반영하면 그들의 기대를 충족시킬 수 있습니다.

네 번째로, 피드백을 통해 독자의 기대를 확인하는 것입니다. 글을 작성한 후, 독자들의 피드백을 받아 그들의 기대에 부합하는지 확인합니다. 피드백을 통해 필요한 부분을 수정하고 보완하여 독자의 기대를 충족시킵니다. 피드백은 독자의 기대를 이해하고 반영하는 데 중요한 도구입니다.

마지막으로, 글의 일관성을 유지하는 것이 중요합니다. 처음부터 끝까지 일관된 톤과 스타일을 유지하여 독자가 기대하는 바를 지속적으로 충족시킵니다. 일관성을 유지하면 독자는 글을 읽는 동안 일관된 경험을 할 수 있습니다. 이는 독자의 기대를 충족시키는 데 중요한 요소입니다.

2. 맞춤법과 문법

외래어와 띄어쓰기

외래어를 적절히 사용하는 첫 번째 방법은 표준 외래어 표기법을 따르는 것입니다. 외래어를 사용할 때는 국립국어원의 표준 외래어 표기법을 참고하여 정확한 표기법을 사용합니다. 예를 들어, "coffee"는 "커피"로 표기합니다. 표준 외래어 표기법을 따르는 것은 글의 정확성을 높이는 중요한 요소입니다.

두 번째로, 외래어의 의미를 명확히 이해하고 사용하는 것이 중요합니다. 외래어의 정확한 의미를 알고, 그 의미에 맞게 적절히 사용합니다. 예를 들어, "디테일(detail)"이라는 단어를 사용할 때는 세부적인 사항을 의미하는지 명확히 이해하고 사용합니다. 외래어의 의미를 정확히 이해하면 독자의 혼란을 줄일 수 있습니다.

세 번째로, 외래어와 한글을 적절히 조합하여 사용하는 것입니다. 필요할 경우 외래어를 사용하되, 가능하면 한글 표현을 우선적으로 사용합니다. 예를 들어, "프로젝트(project)" 대신 "계획"이나 "과제"와 같은 한글 표현을 사용할 수 있습니다. 외래어와 한글의 적절한 조합은 글의 가독성을 높입니다.

네 번째로, 띄어쓰기를 정확히 하는 것이 중요합니다. 외래어와 한글을 조합할 때는 띄어쓰기를 정확히 하여 의미 전달을 명확히 합니다. 예를 들어, "커피숍"과 "커피 숍"의 차이를 명확히 합니다. 띄어쓰기는 글의 명확성을 높이는 중요한 요소입니다.

마지막으로, 외래어의 사용을 최소화하고, 가능한 한 한글 표현을 사용하는 것이 좋습니다. 외래어를 남용하면 독자가 이해하기 어려울 수 있으므로, 한글로 충분히 표현할 수 있는 경우 외래어 사용을 자제합니다. 한글 표현을 우선적으로 사용하는 것은 독자의 이해를 돕는 중요한 방법입니다.

맞춤법 검사기 활용법

맞춤법 검사기를 효과적으로 활용하기 위해 첫 번째로 중요한 것은 글을 작성한 후 반드시 맞춤법 검사기를 사용하는 것입니다. 글을 완성한 후, 맞춤법 검사기를 통해 오타나 맞춤법 오류를 확인하고 수정합니다. 예를 들어, "네"와 "예"의 차이를 검사기를 통해 확인합니다. 맞춤법 검사기는 오류를 쉽게 찾고 수정하는 데 도움이 됩니다.

두 번째로, 맞춤법 검사기의 한계를 이해하는 것입니다. 맞춤법 검사기는 완벽하지 않으며, 때로는 올바른 표현을 오류로 표시할 수 있습니다. 따라서 맞춤법 검사기를 사용한 후에도 직접 글을 다시 읽어보며 오류를 확인합니다. 검사기의 한계를 이해하면 더 정확한 글을 작성할 수 있습니다.

세 번째로, 맞춤법 검사기를 사용하는 습관을 기르는 것입니다. 글을 작성할 때마다 맞춤법 검사기를 사용하여 오류를 수정하는 습관을 들입니다. 이는 맞춤법과 문법 오류를 줄이고, 글의 완성도를 높이는 데 도움이 됩니다. 예를 들어, 블로그 글을 작성할 때마다 맞춤법 검사기를 사용합니다.

네 번째로, 검사기를 통해 발견된 오류를 학습하는 것입니다. 맞춤법 검사기를 사용할 때마다 발견된 오류를 기록하고, 그 오류를 반복하지 않도록 학습합니다. 예를 들어, 자주 틀리는 맞춤법을 메모하여 기억합니다. 이는 맞춤법 실력을 향상시키는 데 도움이 됩니다.

마지막으로, 맞춤법 검사기 외에도 사전을 참고하는 것이 좋습니다. 맞춤법 검사기로 확인하기 어려운 단어나 표현은 사전을 통해 정확한 맞춤법을 확인합니다. 예를 들어, 국립국어원의 표준국어대사전을 참고합니다. 사전 활용은 정확한 맞춤법을 사용하는 데 중요한 도구입니다.

글의 품격 높이기

글의 품격을 높이기 위해 첫 번째로 중요한 것은 정확한 맞춤법과 문법을 사용하는 것입니다. 맞춤법과 문법이 정확하면 글의 신뢰도와 품격이 높아집니다. 예를 들어, "맞추다"와 "맞히다"의 차이를 명확히 구분하여 사용합니다. 정확한 맞춤법과 문법은 글의 품격을 높이는 기본 요소입니다.

두 번째로, 풍부한 어휘를 사용하는 것입니다. 다양한 어휘를 사용하여 글을 풍부하게 만들고, 독자에게 깊은 인상을 남깁니다. 예를 들어, "아름답다" 대신 "아름답고 우아하다"와 같이 풍부한 어휘를 사용합니다. 풍부한 어휘는 글의 품격을 높입니다.

세 번째로, 명확하고 간결한 문장을 사용하는 것입니다. 불필요한 수식어나 장황한 설명을 배제하고, 핵심만을 간결하게 전달합니다.

예를 들어, "그는 매우 빠르게 달렸다" 대신 "그는 달렸다"와 같이 간결하게 표현합니다. 명확하고 간결한 문장은 글의 품격을 높이는 중요한 요소입니다.

네 번째로, 일관된 톤과 스타일을 유지하는 것입니다. 글의 처음부터 끝까지 일관된 톤과 스타일을 유지하여 글의 일관성을 높입니다. 예를 들어, 격식 있는 톤을 유지하기로 결정했다면, 모든 문장에서 그 톤을 일관되게 유지합니다. 일관된 톤과 스타일은 글의 품격을 높이는 데 중요합니다.

마지막으로, 독자의 입장을 고려하여 글을 작성하는 것입니다. 독자가 이해하기 쉽고, 공감할 수 있는 내용으로 글을 작성하여 독자의 만족도를 높입니다. 예를 들어, 복잡한 개념은 쉽게 풀어 설명하고, 독자의 관심사를 반영합니다. 독자의 입장을 고려한 글쓰기는 글의 품격을 높이는 중요한 방법입니다.

문법 오류 피하기

문법 오류를 피하기 위해 첫 번째로 중요한 것은 문법 규칙을 정확히 이해하는 것입니다. 국어 문법의 기본 규칙을 숙지하고, 이를 정확히 적용합니다. 예를 들어, 주어와 서술어의 호응 관계, 수식어의 위치 등을 정확히 이해합니다. 문법 규칙의 정확한 이해는 오류를 피하는 데 기본적인 요소입니다.

두 번째로, 글을 작성한 후 여러 번 읽어보며 문법 오류를 확인하는 것입니다. 글을 완성한 후, 시간을 두고 여러 번 읽어보며 문법 오류를 찾아 수정합니다. 예를 들어, 문장의 구조를 다시 확인하고, 주어와 서술어의 일치를 점검합니다. 여러 번 읽어보는 것은 문법 오류를 찾는 효과적인 방법입니다.

세 번째로, 문법 검사기를 사용하는 것입니다. 맞춤법 검사기와 함께 문법 검사기를 사용하여 문법 오류를 쉽게 찾고 수정합니다. 예를 들어, 문법 검사기를 통해 수식어의 위치나 문장의 호응 관계를 확인합니다. 문법 검사기는 오류를 쉽게 찾고 수정하는 데 도움이 됩니다.

네 번째로, 글을 작성한 후 다른 사람에게 검토를 요청하는 것입니다. 자신이 작성한 글을 다른 사람에게 보여주고, 문법 오류를 검토해 달라고 요청합니다. 다른 사람의 시각에서 오류를 찾는 것은 효과적인 방법입니다. 예를 들어, 동료나 친구에게 글을 보여주고 검토를 받습니다.

마지막으로, 문법 교재나 참고서를 활용하여 문법을 공부하는 것이 좋습니다. 문법 교재나 참고서를 통해 문법 규칙을 반복적으로 학습하고, 이를 글쓰기에 적용합니다. 예를 들어, 국어 문법 교재를 통해 문법 규칙을 학습하고, 글을 작성할 때 참고합니다. 문법 공부는 문법 오류를 피하는 데 중요한 방법입니다.

정확한 표현 사용

정확한 표현을 사용하기 위해 첫 번째로 중요한 것은 어휘의 정확한 의미를 이해하는 것입니다. 각 단어의 정확한 의미를 이해하고, 그 의미에 맞게 적절히 사용합니다. 예를 들어, "효과"와

"효능"의 차이를 명확히 이해하고, 상황에 맞게 사용합니다. 어휘의 정확한 의미를 이해하면 정확한 표현을 사용할 수 있습니다.

두 번째로, 사전을 활용하여 어휘의 의미를 확인하는 것입니다. 글을 작성할 때, 정확한 의미를 확인하기 어려운 단어나 표현은 사전을 통해 확인합니다. 예를 들어, 국립국어원의 표준국어대사전을 참고하여 어휘의 정확한 의미를 확인합니다. 사전 활용은 정확한 표현을 사용하는 데 중요한 도구입니다.

세 번째로, 문맥에 맞는 어휘를 사용하는 것입니다. 어휘를 선택할 때는 문맥을 고려하여 적절한 단어를 사용합니다. 예를 들어, "가치"와 "가격"의 차이를 문맥에 맞게 사용합니다. 문맥에 맞는 어휘 선택은 정확한 표현을 사용하는 데 중요합니다.

네 번째로, 동의어와 반의어를 적절히 활용하는 것입니다. 같은 의미를 가진 단어라도 상황에 맞게 적절히 선택하여 사용합니다. 예를 들어, "중요하다"와 "필수적이다"를 상황에 맞게 사용합니다. 동의어와 반의어 활용은 표현을 다양화하고 정확하게 만드는 데 도움이 됩니다.

마지막으로, 피드백을 통해 표현의 정확성을 확인하는 것입니다. 글을 작성한 후, 다른 사람에게 피드백을 받아 표현의 정확성을 확인하고, 필요한 부분을 수정합니다. 예를 들어, 동료나 친구에게 글을 보여주고 피드백을 받습니다. 피드백은 정확한 표현을 사용하는 데 중요한 과정입니다.

3. 문장과 문단의 완성도

문장의 리듬과 흐름

문장의 리듬과 흐름을 유지하기 위해 첫 번째로 중요한 것은 문장의 길이를 다양하게 구성하는 것입니다. 짧은 문장과 긴 문장을 적절히 섞어 사용하면 글이 더 자연스럽고 리드미컬하게 느껴집니다. 예를 들어, "그는 빠르게 걸었다. 갑자기 멈춰섰다. 다시 걷기 시작했다."와 같은 짧은 문장과 "그는 빠르게 걸어갔다가, 갑자기 멈추어 서서, 다시 걷기 시작했다."와 같은 긴 문장을 조화롭게 사용합니다. 문장의 길이 변화를 통해 글의 리듬을 조절합니다.

두 번째로, 문장의 구조를 다양하게 사용하는 것이 중요합니다. 문장의 시작과 끝을 다양하게 구성하여 독자의 흥미를 끌고, 글의 흐름을 자연스럽게 만듭니다. 예를 들어, "아침이 밝아왔다. 그는 침대에서 일어났다." 대신 "침대에서 일어나면서, 아침이 밝아오는 것을 느꼈다."와 같이 다양한 구조를 사용합니다. 문장의 구조 변화를 통해 글의 리듬과 흐름을 유지합니다.

세 번째로, 반복과 패턴을 활용하는 것입니다. 중요한 개념이나 단어를 반복적으로 사용하여 글의 일관성을 유지하고, 독자에게 중요한 메시지를 강조합니다. 예를 들어, "시간 관리는 중요하다. 시간 관리는 우리의 삶을 변화시킬 수 있다."와 같이 반복을 사용합니다. 반복은 글의 리듬을 강화하고, 독자의 기억에 남게 합니다.

네 번째로, 문장의 호흡을 고려하여 쉼표와 마침표를 적절히 사용합니다. 쉼표와 마침표는 문장의 흐름을 조절하는 중요한 요소입니다. 예를 들어, "그는 천천히 걸어갔다, 길을 건너기 전에 잠시 멈추었다."와 같이 쉼표를 사용하여 문장의 호흡을 조절합니다. 쉼표와 마침표의 적절한 사용은 글의 흐름을 자연스럽게 만듭니다.

마지막으로, 문장의 리듬과 흐름을 확인하기 위해 글을 소리 내어 읽어보는 것이 좋습니다. 소리 내어 읽어보면 문장의 리듬과 흐름을 더 쉽게 파악할 수 있습니다. 글을 소리 내어 읽으며, 자연스럽지 않은 부분을 수정하여 완성도를 높입니다.

문단의 구조와 연결

문단의 구조와 연결을 효과적으로 하기 위해 첫 번째로 중요한 것은 명확한 주제 문장을 사용하는 것입니다. 각 문단의 첫 문장에 주제를 명확히 제시하고, 그 주제를 중심으로 문단을 구성합니다. 예를 들어, "시간 관리는 생산성을 높이는 중요한 요소이다."와 같은 주제 문장을 사용합니다. 주제 문장은 독자가 문단의 내용을 쉽게 이해하도록 돕습니다.

두 번째로, 문단 내에서 논리적인 흐름을 유지하는 것입니다. 문단 내에서 문장들이 자연스럽게 연결되도록 논리적인 흐름을 유지합니다. 이를 위해 논리적 연결어를 사용하여 문장 간의 연결을 매끄럽게 합니다. 예를 들어, "첫째로", "둘째로", "마지막으로"와 같은 연결어를 사용합니다. 논리적인 흐름은 문단의 일관성을 유지하는 데 중요합니다.

세 번째로, 문단 간의 자연스러운 전환을 위해 연결어를 사용하는 것입니다. 문단 간의 연결을 부드럽게 하기 위해 전환 연결어를 사용합니다. 예를 들어, "또한", "따라서", "반면에"와 같은 연결어를 사용하여 문단 간의 전환을 매끄럽게 합니다. 연결어는 글의 흐름을 유지하는 데 중요한 역할을 합니다.

네 번째로, 문단의 길이를 적절히 조절하는 것이 필요합니다. 문단이 너무 길면 독자가 이해하기 어렵고, 너무 짧으면 내용이 부족하게 느껴질 수 있습니다. 각 문단은 하나의 주제를 충분히 설명할 수 있을 만큼의 길이로 구성하되, 독자가 쉽게 읽을 수 있도록 적절히 조절합니다. 적절한 길이의 문단은 독자의 가독성을 높입니다.

마지막으로, 문단의 시작과 끝을 명확히 하는 것이 중요합니다. 문단의 시작에서는 주제를 명확히 제시하고, 문단의 끝에서는 중요한 포인트를 요약하거나 다음 문단으로 자연스럽게 이어질 수 있도록 합니다. 예를 들어, "결론적으로, 시간 관리는 우리의 삶을 변화시킬 수 있는 강력한 도구이다."와 같이 문단을 마무리합니다. 명확한 시작과 끝은 문단의 구조와 연결을 강화합니다.

독자가 읽기 쉬운 문장 쓰기

독자가 읽기 쉬운 문장을 쓰기 위해 첫 번째로 중요한 것은 간결한 문장을 사용하는 것입니다. 불필요한 수식어나 장황한 설명을 배제하고, 핵심만을 간결하게 전달합니다. 예를 들어, "그는 매우 빠르게 달렸다" 대신 "그는 달렸다"와 같이 간결하게 표현합니다. 간결한 문장은 독자가 내용을 쉽게 이해할 수 있도록 돕습니다.

두 번째로, 쉬운 단어와 표현을 사용하는 것입니다. 독자가 이해하기 쉬운 쉬운 단어와 표현을 사용하여 글을 작성합니다. 예를 들어, "프로크래스티네이션" 대신 "일 미루기"와 같이 쉬운 표현을 사용합니다. 쉬운 단어와 표현은 독자의 이해를 돕습니다.

세 번째로, 문장의 구조를 명확히 하는 것입니다. 주어와 동사를 가까이 배치하고, 문장의 구조를 명확히 하여 독자가 쉽게 이해할 수 있도록 합니다. 예를 들어, "그는 아침에 일어나서 운동을 하고, 샤워를 한 후에 아침을 먹었다" 대신 "그는 아침에 일어났다. 운동을 했다. 샤워를 한 후 아침을 먹었다"로 나눕니다. 명확한 문장 구조는 독자의 이해를 돕습니다.

네 번째로, 구체적인 예시와 비유를 사용하는 것입니다. 추상적인 개념이나 복잡한 내용을 설명할 때는 구체적인 예시와 비유를 사용하여 쉽게 풀어냅니다. 예를 들어, "시간 관리는 우리의 삶을 조직하는 도구이다. 잘 관리된 시간은 마치 정돈된 책상처럼 우리의 업무를 효율적으로 만든다."와 같은 비유를 사용합니다. 구체적인 예시와 비유는 독자의 이해를 돕습니다.

마지막으로, 독자의 입장에서 글을 작성하는 것이 중요합니다. 독자가 어떤 정보를 필요로 하고, 어떤 방식으로 글을 읽기를 원하는지를 고려하여 글을 구성합니다. 예를 들어, 복잡한 설명보다는 간단하고 명확한 설명을 우선합니다. 독자의 입장을 고려한 글쓰기는 독자가 글을 쉽게 읽을 수 있도록 돕습니다.

문장과 문단의 조화

문장과 문단의 조화를 위해 첫 번째로 중요한 것은 문장의 일관성을 유지하는 것입니다. 각 문장은 전체 문단의 주제와 일치하도록 구성하고, 일관된 톤과 스타일을 유지합니다. 예를 들어, 친근한 톤을 유지하려면 모든 문장에서 그 톤을 일관되게 유지합니다. 일관성은 문장과 문단의 조화를 유지하는 데 중요합니다.

두 번째로, 문단 내 문장 간의 논리적인 흐름을 유지하는 것입니다. 각 문장은 자연스럽게 연결되도록 하고, 논리적인 순서에 따라 배치합니다. 예를 들어, 원인과 결과, 문제와 해결책, 질문과 답변 등의 논리적 구조를 사용합니다. 논리적인 흐름은 문단의 일관성을 강화합니다.

세 번째로, 다양한 문장 구조를 사용하여 글을 풍부하게 만드는 것입니다. 같은 구조의 문장이 반복되지 않도록 다양한 문장 구조를 사용하여 독자의 흥미를 유지합니다. 예를 들어, "그는 달렸다. 그는 뛰었다. 그는 걸었다." 대신 "그는 달렸다. 뛰기도 하고, 걷기도 했다."와 같이 다양한 구조를 사용합니다. 문장 구조의 다양성은 글의 풍부함을 높입니다.

네 번째로, 주제를 명확히 하고 그 주제를 중심으로 문단을 구성하는 것입니다. 각 문단은 하나의 명확한 주제를 중심으로 구성하고, 그 주제에 집중하여 내용을 전개합니다. 예를 들어, "시간 관리의 중요성"이라는 주제를 다루는 문단에서는 그 주제와 관련된 내용만 포함합니다. 주제의 명확성은 문단의 조화를 유지하는 데 중요합니다.

마지막으로, 문단의 길이와 구성을 적절히 조절하는 것이 필요합니다. 문단이 너무 길면 독자가 이해하기 어렵고, 너무 짧으면 내용이 부족하게 느껴질 수 있습니다. 각 문단은 하나의 주제를 충분히 설명할 수 있을 만큼의 길이로 구성하되, 독자가 쉽게 읽을 수 있도록 적절히 조절합니다. 적절한 길이의 문단은 독자의 가독성을 높입니다.

읽기 좋은 글의 조건

읽기 좋은 글의 첫 번째 조건은 명확한 주제와 일관된 구조입니다. 글의 주제를 명확히 설정하고, 그 주제에 따라 서론, 본론, 결론의 구조를 일관되게 유지합니다. 예를 들어, "시간 관리의 중요성"이라는 주제를 설정하고, 서론에서 주제를 소개하고, 본론에서 구체적으로 설명하며, 결론에서 요약합니다. 명확한 주제와 일관된 구조는 읽기 좋은 글의 기본 조건입니다.

두 번째 조건은 간결하고 명확한 문장입니다. 불필요한 수식어나 장황한 설명을 배제하고, 핵심만을 간결하게 전달합니다. 예를 들어, "그는 매우 빠르게 달렸다" 대신 "그는 달렸다"와 같이 간결하게 표현합니다. 간결하고 명확한 문장은 독자가 내용을 쉽게 이해할 수 있도록 돕습니다.

세 번째 조건은 구체적인 예시와 비유를 사용하는 것입니다. 추상적인 개념이나 복잡한 내용을 설명할 때는 구체적인 예시와 비유를 사용하여 쉽게 풀어냅니다. 예를 들어, "시간 관리는 우리의 삶을 조직하는 도구이다. 잘 관리된 시간은 마치 정돈된 책상처럼 우리의 업무를 효율적으로 만든다."와 같은 비유를 사용합니다. 구체적인 예시와 비유는 독자의 이해를 돕습니다.

네 번째 조건은 일관된 톤과 스타일입니다. 글의 처음부터 끝까지 일관된 톤과 스타일을 유지하여 독자가 일관된 경험을 할 수 있도록 합니다. 예를 들어, 친근한 톤을 유지하려면 모든 문장에서 그 톤을 일관되게 유지합니다. 일관된 톤과 스타일은 독자의 몰입감을 높입니다.

마지막 조건은 독자의 입장에서 글을 작성하는 것입니다. 독자가 이해하기 쉽고, 공감할 수 있는 내용으로 글을 작성하여 독자의 만족도를 높입니다. 예를 들어, 복잡한 개념은 쉽게 풀어 설명하고, 독자의 관심사를 반영합니다. 독자의 입장을 고려한 글쓰기는 읽기 좋은 글을 만드는 중요한 방법입니다.

글쓰기의 기본부터

출판과 마케팅까지

새로운 차원의 글쓰기를 경험하세요

성공적인 저자로서의 여정을 지금 시작하세요.

Part 03

퇴고 후
책 편집
출판 준비

제 7 장

글의 정확성과 윤리

글쓰기의 정확성과 윤리를 위해서는 철저한 검토, 오류 제거, 논리적 일관성 유지, 검증된 자료의 사용, 그리고 저작권에 대한 이해 등이 중요합니다. 무료 저작물을 활용할 때는 신뢰할 수 있는 소스를 사용하고, 사용 조건을 이해하는 것이 필요하다는 점을 기억해야 합니다.

1. 오류 없는 글쓰기

글의 오류 제거하기

글의 오류를 제거하기 위해 첫 번째로 중요한 것은 철저한 검토입니다. 글을 작성한 후 여러 번 읽어보며 문법적 오류, 맞춤법 오류, 논리적 오류 등을 철저히 검토합니다. 예를 들어, "이곳에 그는 일을 잘한다"라는 문장을 "그는 이곳에서 일을 잘한다"로 수정합니다. 철저한 검토는 오류를 줄이는 기본적인 방법입니다.

두 번째로, 글을 작성한 후 일정 시간을 두고 다시 읽어보는 것이 중요합니다. 글을 작성한 직후에는 오류를 발견하기 어려울 수 있으므로, 몇 시간 또는 하루 정도의 시간을 두고 다시 읽어보며 오류를 찾습니다. 예를 들어, "시간 관리는 중요한 것입니다"라는 문장을 다시 읽으며 "시간 관리는 중요합니다"로 수정합니다. 일정 시간을 두고 다시 읽어보는 것은 새로운 시각으로 오류를 발견하는 데 도움이 됩니다.

세 번째로, 다른 사람에게 검토를 요청하는 것입니다. 자신이 작성한 글을 다른 사람에게 보여주고, 그들의 피드백을 받아 오류를 수정합니다. 예를 들어, 동료나 친구에게 글을 보여주고, 그들이 발견한 오류를 수정합니다. 다른 사람의 시각에서 오류를 찾는 것은 효과적인 방법입니다.

네 번째로, 문법 검사기와 맞춤법 검사기를 사용하는 것입니다. 문법 검사기와 맞춤법 검사기를 통해 글의 오류를 쉽게 찾고 수정합니다. 예를 들어, 문법 검사기를 사용하여 주어와 서술어의 일치를 확인하고, 맞춤법 검사기를 사용하여 철자 오류를 수정합니다. 문법 검사기와 맞춤법 검사기는 오류를 줄이는 데 유용한 도구입니다.

마지막으로, 글의 구조와 흐름을 점검하는 것입니다. 글의 전체적인 구조와 논리적 흐름을 검토하여 자연스럽고 일관되게 구성되었는지 확인합니다. 예를 들어, 서론, 본론, 결론의 구조를 점검하고, 각 부분이 논리적으로 연결되었는지 확인합니다. 구조와 흐름을 점검하는 것은 글의 완성도를 높이는 중요한 과정입니다.

논리와 근거의 사실 확인

논리와 근거의 사실 확인을 위해 첫 번째로 중요한 것은 신뢰할 수 있는 출처를 사용하는 것입니다. 글을 작성할 때, 신뢰할 수 있는 출처에서 얻은 정보를 사용하여 근거를 제시합니다. 예를 들어, 학술 논문, 공신력 있는 기관의 보고서, 전문가의 의견 등을 사용합니다. 신뢰할 수 있는 출처는 근거의 신뢰성을 높입니다.

두 번째로, 인용한 자료와 정보의 출처를 명확히 밝히는 것입니다. 글에서 인용한 자료나 정보를 사용할 때는 그 출처를 명확히 밝히고, 인용 표기를 정확히 합니다. 예를 들어, "시간 관리에 대한 연구에 따르면..."과 같은 문장 뒤에 출처를 표기합니다. 출처 표기는 근거의 신뢰성을 높이고, 독자에게 정보를 제공하는 데 도움이 됩니다.

세 번째로, 논리적 일관성을 유지하는 것입니다. 글의 논리가 일관되게 전개되도록 하고, 주장을 뒷받침하는 근거가 논리적으로 연결되도록 합니다. 예를 들어, "시간 관리는 중요하다"라는 주장을 할 때, 그 근거로 "시간 관리는 생산성을 높인다"는 논리적 연결을 제시합니다. 논리적 일관성은 글의 신뢰성을 높입니다.

네 번째로, 자료의 신뢰성을 검증하는 것입니다. 사용한 자료나 정보가 신뢰할 수 있는지, 객관적이고 정확한지를 검증합니다. 예를 들어, 인터넷에서 얻은 정보의 경우, 그 출처가 신뢰할 수 있는 사이트인지 확인합니다. 자료의 신뢰성을 검증하는 것은 정확한 정보를 제공하는 데 중요합니다.

마지막으로, 글의 내용을 전문가에게 검토받는 것입니다. 글의 주제와 관련된 전문가에게 글을 보여주고, 그들의 의견과 피드백을 받아 내용을 수정하고 보완합니다. 예를 들어, 의학 관련 글이라면 의사나 전문가에게 검토를 요청합니다. 전문가의 검토는 글의 신뢰성을 높이는 중요한 방법입니다.

자주 발생하는 오류 피하기

자주 발생하는 오류를 피하기 위해 첫 번째로 중요한 것은 일반적인 오류를 미리 파악하는 것입니다. 글을 작성할 때 자주 발생하는 맞춤법 오류, 문법 오류, 논리적 오류 등을 미리 파악하고 주의합니다. 예를 들어, "있습니다"와 "있읍니다"의 차이를 명확히 구분합니다. 일반적인 오류를 파악하는 것은 오류를 줄이는 데 도움이 됩니다.

두 번째로, 글을 작성하기 전에 계획을 세우는 것입니다. 글의 구조와 내용을 미리 계획하고, 각 부분의 역할과 내용을 명확히 정리합니다. 예를 들어, 서론, 본론, 결론의 구조를 미리 계획하고, 각 부분에 포함될 내용을 정리합니다. 계획을 세우면 글의 흐름이 자연스러워지고, 오류를 줄일 수 있습니다.

세 번째로, 글을 작성한 후 여러 번 읽어보며 오류를 찾는 것입니다. 글을 완성한 후, 시간을 두고 여러 번 읽어보며 문법적 오류, 맞춤법 오류, 논리적 오류 등을 찾아 수정합니다. 예를 들어, "시간 관리는 중요합니다"라는 문장을 여러 번 읽으며 "시간 관리가 중요합니다"로 수정합니다. 여러 번 읽어보는 것은 오류를 찾는 효과적인 방법입니다.

네 번째로, 문법 검사기와 맞춤법 검사기를 사용하는 것입니다. 문법 검사기와 맞춤법 검사기를 통해 자주 발생하는 오류를 쉽게 찾고 수정합니다. 예를 들어, 문법 검사기를 사용하여 주어와 서술어의 일치를 확인하고, 맞춤법 검사기를 사용하여 철자 오류를 수정합니다. 문법 검사기와 맞춤법 검사기는 오류를 줄이는 데 유용한 도구입니다.

마지막으로, 다른 사람에게 검토를 요청하는 것입니다. 자신이 작성한 글을 다른 사람에게 보여주고, 그들이 발견한 오류를 수정합니다. 예를 들어, 동료나 친구에게 글을 보여주고, 그들이 발견한 오류를 수정합니다. 다른 사람의 시각에서 오류를 찾는 것은 효과적인 방법입니다.

정확한 정보 제공

정확한 정보를 제공하기 위해 첫 번째로 중요한 것은 신뢰할 수 있는 출처를 사용하는 것입니다. 글을 작성할 때, 신뢰할 수 있는 출처에서 얻은 정보를 사용하여 근거를 제시합니다. 예를 들어, 학술 논문, 공신력 있는 기관의 보고서, 전문가의 의견 등을 사용합니다. 신뢰할 수 있는 출처는 근거의 신뢰성을 높입니다.

두 번째로, 인용한 자료와 정보의 출처를 명확히 밝히는 것입니다. 글에서 인용한 자료나 정보를 사용할 때는 그 출처를 명확히 밝히고, 인용 표기를 정확히 합니다. 예를 들어, "시간 관리에 대한 연구에 따르면..."과 같은 문장 뒤에 출처를 표기합니다. 출처 표기는 근거의 신뢰성을 높이고, 독자에게 정보를 제공하는 데 도움이 됩니다.

세 번째로, 자료의 신뢰성을 검증하는 것입니다. 사용한 자료나 정보가 신뢰할 수 있는지, 객관적이고 정확한지를 검증합니다. 예를 들어, 인터넷에서 얻은 정보의 경우, 그 출처가 신뢰할 수 있는 사이트인지 확인합니다. 자료의 신뢰성을 검증하는 것은 정확한 정보를 제공하는 데 중요합니다.

네 번째로, 정보의 최신성을 유지하는 것입니다. 사용한 자료나 정보가 최신인지 확인하고, 최신 정보를 반영합니다. 예를 들어, 시간 관리 기법에 대한 최신 연구 결과를 반영합니다. 정보의 최신성은 독자에게 신뢰감을 줍니다.

마지막으로, 글의 내용을 전문가에게 검토받는 것입니다. 글의 주제와 관련된 전문가에게 글을 보여주고, 그들의 의견과 피드백을 받아 내용을 수정하고 보완합니다. 예를 들어, 의학 관련 글이라면 의사나 전문가에게 검토를 요청합니다. 전문가의 검토는 글의 신뢰성을 높이는 중요한 방법입니다.

검증된 자료 사용

검증된 자료를 사용하기 위해 첫 번째로 중요한 것은 공신력 있는 출처를 사용하는 것입니다. 학술 논문, 공신력 있는 기관의 보고서, 전문가의 의견 등 검증된 출처에서 자료를 얻습니다. 예를 들어, "국립국어원"이나 "한국은행"과 같은 공신력 있는 기관의 자료를 사용합니다. 공신력 있는 출처는 자료의 신뢰성을 보장합니다.

두 번째로, 자료의 출처를 명확히 밝히는 것입니다. 글에서 인용한 자료나 정보를 사용할 때는 그 출처를 명확히 밝히고, 인용 표기를 정확히 합니다. 예를 들어, "시간 관리에 대한 연구에 따르면..."과 같은 문장 뒤에 출처를 표기합니다. 출처 표기는 자료의 신뢰성을 높이고, 독자에게 정보를 제공하는 데 도움이 됩니다.

세 번째로, 자료의 신뢰성을 검증하는 것입니다. 사용한 자료나 정보가 신뢰할 수 있는지, 객관적이고 정확한지를 검증합니다. 예를 들어, 인터넷에서 얻은 정보의 경우, 그 출처가 신뢰할 수 있는 사이트인지 확인합니다. 자료의 신뢰성을 검증하는 것은 정확한 정보를 제공하는 데 중요합니다.

네 번째로, 자료의 최신성을 유지하는 것입니다. 사용한 자료나 정보가 최신인지 확인하고, 최신 정보를 반영합니다. 예를 들어, 시간 관리 기법에 대한 최신 연구 결과를 반영합니다. 정보의 최신성은 독자에게 신뢰감을 줍니다.

마지막으로, 전문가의 의견을 참고하는 것입니다. 글의 주제와 관련된 전문가의 의견을 참고하여 자료를 검증하고, 신뢰할 수 있는 정보를 제공합니다. 예를 들어, 의학 관련 글이라면 의사나 전문가의 의견을 참고합니다. 전문가의 의견은 자료의 신뢰성을 높이는 중요한 요소입니다.

2. 저작권 이해하기

저작권 확보와 사용 범위

저작권을 확보하고 사용 범위를 이해하기 위해 첫 번째로 중요한 것은 저작권의 기본 개념을 이해하는 것입니다. 저작권은 창작자가 자신의 창작물에 대해 가지는 법적 권리로, 복제, 배포, 공연, 전시 등을 통제할 수 있는 권리를 의미합니다. 예를 들어, 글, 음악, 그림 등 창작물은 저작권의 보호를 받습니다. 저작권의 기본 개념을 이해하면 창작물 보호와 활용 범위를 명확히 할 수 있습니다.

두 번째로, 저작권 등록 절차를 숙지하는 것입니다. 저작권을 공식적으로 보호받기 위해서는 해당 국가의 저작권 등록 절차를 거쳐야 합니다. 예를 들어, 한국에서는 한국저작권위원회를 통해 저작권을 등록할 수 있습니다. 저작권 등록은 창작물의 법적 보호를 강화하는 중요한 절차입니다.

세 번째로, 저작권의 사용 범위를 명확히 이해하는 것입니다. 저작권은 창작자가 타인에게 사용을 허락할 수 있으며, 이때 사용 범위와 조건을 명확히 해야 합니다. 예를 들어, 특정 기간 동안 특정 목적으로만 사용을 허락하는 조건을 명시합니다. 사용 범위를 명확히 이해하면 저작권 침해를 예방할 수 있습니다.

네 번째로, 저작권 계약서를 작성하는 것이 중요합니다. 저작권을 타인에게 사용 허락할 때는 계약서를 작성하여 사용 범위와 조건을 명확히 기록합니다. 예를 들어, 출판사와 저작권 계약을 맺을 때,

계약서에 사용 범위, 기간, 보상 등을 명시합니다. 저작권 계약서는 법적 분쟁을 예방하는 중요한 문서입니다.

마지막으로, 저작권 침해 사례를 통해 교훈을 얻는 것이 좋습니다. 저작권 침해 사례를 분석하여 어떤 상황에서 저작권 침해가 발생하는지 이해하고, 이를 예방하는 방법을 배웁니다. 예를 들어, 인터넷에서 무단으로 이미지를 사용하는 것이 저작권 침해에 해당할 수 있다는 것을 사례를 통해 학습합니다. 저작권 침해 사례는 예방의 중요한 교훈을 제공합니다.

무료 저작물 소스 활용법

무료 저작물 소스를 효과적으로 활용하기 위해 첫 번째로 중요한 것은 신뢰할 수 있는 무료 저작물 소스를 찾는 것입니다. 인터넷에는 다양한 무료 저작물 소스가 있으며, 이러한 소스를 통해 저작권 문제가 없는 자료를 활용할 수 있습니다. 예를 들어, Pixabay, Unsplash, Wikimedia Commons 등은 신뢰할 수 있는 무료 이미지 소스입니다. 신뢰할 수 있는 소스를 사용하는 것은 저작권 문제를 예방하는 첫 단계입니다.

두 번째로, 무료 저작물의 사용 조건을 명확히 이해하는 것입니다. 무료 저작물이라 하더라도 사용 조건이 있을 수 있으며, 이를 준수해야 합니다. 예를 들어, 일부 무료 이미지는 비상업적 용도로만 사용 가능하거나, 저작자를 명시해야 하는 조건이 있습니다. 사용 조건을 명확히 이해하면 저작권 문제를 예방할 수 있습니다.

세 번째로, Creative Commons 라이선스를 이해하고 활용하는 것입니다. Creative Commons 라이선스는 저작자가 자신의 창작물을 어떤 조건으로 사용할 수 있는지 명시한 라이선스입니다. 예를 들어, CC BY 라이선스는 저작자를 표시하는 조건으로 사용을 허락합니다. Creative Commons 라이선스를 이해하고 활용하면 무료 저작물을 적절히 사용할 수 있습니다.

네 번째로, 저작물의 출처와 저작자를 명확히 표기하는 것이 중요합니다. 무료 저작물을 사용할 때는 저작물의 출처와 저작자를 명확히 표기하여 저작권을 준수합니다. 예를 들어, "이미지 출처: Pixabay, 저작자: John Doe"와 같이 표기합니다. 출처와 저작자 표기는 저작권 준수의 기본입니다.

마지막으로, 무료 저작물을 사용하는 이유를 명확히 하는 것이 좋습니다. 무료 저작물을 사용하는 이유를 명확히 하고, 필요할 경우 유료 저작물의 사용을 고려합니다. 예를 들어, 고품질의 이미지를 사용할 필요가 있는 경우, 유료 이미지를 구매하여 사용하는 것도 하나의 방법입니다. 무료 저작물 사용의 이유를 명확히 하면 저작물 활용의 목적과 가치를 높일 수 있습니다.

저작권 침해 사례

저작권 침해 사례를 이해하기 위해 첫 번째로 중요한 것은 다양한 사례를 분석하는 것입니다. 다양한 저작권 침해 사례를 분석하여 어떤 상황에서 저작권 침해가 발생하는지 이해합니다. 예를 들어, 음악 파일의 불법 다운로드, 무단 복제된 서적의 판매 등 다양한 사례를 분석합니다. 다양한 사례 분석은 저작권 침해를 예방하는 데 도움이 됩니다.

두 번째로, 저작권 침해가 발생하는 주요 원인을 파악하는 것입니다. 저작권 침해가 발생하는 주요 원인을 파악하고, 이를 예방하는 방법을 학습합니다. 예를 들어, 저작권에 대한 인식 부족, 저작물의 무단 사용 등이 주요 원인으로 작용할 수 있습니다. 주요 원인을 파악하면 저작권 침해를 효과적으로 예방할 수 있습니다.

세 번째로, 저작권 침해의 법적 결과를 이해하는 것입니다. 저작권 침해가 발생했을 때의 법적 결과를 이해하고, 그 심각성을 인식합니다. 예를 들어, 저작권 침해로 인해 발생할 수 있는 법적 소송, 손해배상 등의 결과를 학습합니다. 법적 결과를 이해하면 저작권 침해의 심각성을 인식하게 됩니다.

네 번째로, 저작권 침해를 예방하기 위한 구체적인 방법을 학습하는 것입니다. 저작권 침해를 예방하기 위한 구체적인 방법을 학습하고, 이를 실천합니다. 예를 들어, 저작물 사용 전에 저작권을 확인하고, 필요한 경우 저작권자의 허락을 받습니다. 구체적인 예방 방법을 실천하면 저작권 침해를 효과적으로 방지할 수 있습니다.

마지막으로, 저작권 침해 사례를 통해 얻은 교훈을 바탕으로 저작권을 준수하는 습관을 기르는 것이 중요합니다. 저작권 침해 사례를 통해 얻은 교훈을 바탕으로, 저작물을 사용할 때 항상 저작권을 준수하는 습관을 기릅니다. 예를 들어, 저작물 사용 전에 항상 저작권을 확인하고, 저작권자의 허락을 받습니다. 저작권 준수 습관은 저작권 침해를 예방하는 중요한 방법입니다.

저작권 관련 법규 이해

저작권 관련 법규를 이해하기 위해 첫 번째로 중요한 것은 해당 국가의 저작권 법률을 학습하는 것입니다. 각 나라의 저작권 법률은 다를 수 있으므로, 해당 국가의 저작권 법률을 이해하고 준수합니다. 예를 들어, 한국의 저작권법, 미국의 저작권법 등을 학습합니다. 국가별 저작권 법률 이해는 저작권 준수의 기본입니다.

두 번째로, 국제 저작권 협약을 이해하는 것입니다. 여러 나라에서 저작물을 사용할 경우, 국제 저작권 협약을 이해하고 준수합니다. 예를 들어, 베른 협약, 세계 지식 재산권 기구(WIPO) 저작권 조약 등을 학습합니다. 국제 저작권 협약 이해는 국제적인 저작권 준수에 도움이 됩니다.

세 번째로, 저작권의 보호 기간을 이해하는 것입니다. 저작권의 보호 기간은 저작물의 유형과 국가에 따라 다를 수 있으므로, 이를 명확히 이해하고 준수합니다. 예를 들어, 한국에서는 저작권자의 사후 70년간 저작권이 보호됩니다. 보호 기간 이해는 저작물 사용 시 중요한 요소입니다.

네 번째로, 저작권 침해의 법적 결과를 이해하는 것입니다. 저작권 침해가 발생했을 때의 법적 결과를 이해하고, 그 심각성을 인식합니다. 예를 들어, 저작권 침해로 인해 발생할 수 있는 법적 소송, 손해배상 등의 결과를 학습합니다. 법적 결과 이해는 저작권 침해의 심각성을 인식하게 합니다.

마지막으로, 저작권 관련 법규를 준수하는 습관을 기르는 것이 중요합니다. 저작권 관련 법규를 준수하는 습관을 기르고, 항상 저작권을 확인하고 준수합니다. 예를 들어, 저작물 사용 전에 저작권을 확인하고, 필요한 경우 저작권자의 허락을 받습니다. 저작권 준수 습관은 저작권 침해를 예방하는 중요한 방법입니다.

저작권 보호와 활용

저작권을 보호하고 효과적으로 활용하기 위해 첫 번째로 중요한 것은 저작권을 등록하는 것입니다. 저작권을 공식적으로 보호받기 위해서는 저작물을 등록하고, 법적 보호를 받습니다. 예를 들어, 한국저작권위원회를 통해 저작권을 등록합니다. 저작권 등록은 저작물의 법적 보호를 강화하는 중요한 절차입니다.

두 번째로, 저작권을 효과적으로 활용하기 위해 저작권 라이선스를 이해하는 것입니다. 저작권 라이선스를 통해 저작물을 타인에게 사용 허락할 때, 조건과 범위를 명확히 합니다. 예를 들어, Creative Commons 라이선스를 사용하여 저작물을 공유합니다. 저작권 라이선스 이해는 저작물의 효과적인 활용에 도움이 됩니다.

세 번째로, 저작권 계약서를 작성하는 것입니다. 저작권을 타인에게 사용 허락할 때는 계약서를 작성하여 사용 범위와 조건을 명확히 기록합니다. 예를 들어, 출판사와 저작권 계약을 맺을 때, 계약서에 사용 범위, 기간, 보상 등을 명시합니다. 저작권 계약서는 법적 분쟁을 예방하는 중요한 문서입니다.

네 번째로, 저작권을 보호하기 위해 정기적으로 모니터링하는 것입니다. 저작물이 무단으로 사용되는지 정기적으로 모니터링하고, 필요한 경우 법적 조치를 취합니다. 예를 들어, 인터넷에서 자신의 저작물이 무단으로 사용되는지 확인합니다. 정기적인 모니터링은 저작물 보호에 도움이 됩니다.

마지막으로, 저작권 교육을 통해 저작권 인식을 높이는 것이 중요합니다. 저작권 교육을 통해 저작권의 중요성을 이해하고, 이를 실천합니다. 예를 들어, 저작권 관련 세미나나 워크숍에 참여하여 저작권에 대한 이해를 높입니다. 저작권 인식 향상은 저작권 보호와 활용의 기본입니다.

3. 책임 있는 글쓰기

윤리적 글쓰기 원칙

윤리적 글쓰기 원칙을 따르기 위해 첫 번째로 중요한 것은 정직성을 유지하는 것입니다. 글을 작성할 때는 사실을 왜곡하지 않고, 있는 그대로의 사실을 전달합니다. 예를 들어, 통계 자료를 인용할 때는 출처를 명확히 밝히고, 자료를 정확히 해석합니다. 정직성은 윤리적 글쓰기의 기본 원칙입니다.

두 번째로, 타인의 저작물을 존중하는 것입니다. 다른 사람의 글이나 아이디어를 인용할 때는 출처를 명확히 밝히고, 저작권을 준수합니다. 예를 들어, 특정 문장을 인용할 때는 저자의 이름과 출처를 명시합니다. 타인의 저작물을 존중하는 것은 윤리적 글쓰기의 중요한 요소입니다.

세 번째로, 객관성을 유지하는 것입니다. 글을 작성할 때 개인적인 감정이나 편견을 배제하고, 객관적인 시각에서 사실을 전달합니다. 예를 들어, 논쟁이 되는 주제를 다룰 때는 양쪽의 의견을 공정하게 제시합니다. 객관성은 윤리적 글쓰기의 핵심입니다.

네 번째로, 사회적 책임을 고려하는 것입니다. 글을 작성할 때 그 글이 사회에 미칠 영향을 고려하고, 사회적으로 책임 있는 내용을 전달합니다. 예를 들어, 특정 집단에 대한 혐오 표현이나 차별적인 언어를 사용하지 않습니다. 사회적 책임을 고려하는 것은 윤리적 글쓰기의 중요한 측면입니다.

마지막으로, 독자에 대한 책임을 지는 것입니다. 글을 읽는 독자가 얻을 수 있는 정보를 정확하고 유익하게 제공하고, 독자가 잘못된 정보를 기반으로 결정을 내리지 않도록 합니다. 예를 들어, 건강 정보를 제공할 때는 정확한 자료를 기반으로 작성합니다. 독자에 대한 책임을 지는 것은 윤리적 글쓰기의 최우선 과제입니다.

독자의 신뢰 얻기

독자의 신뢰를 얻기 위해 첫 번째로 중요한 것은 일관성을 유지하는 것입니다. 글의 톤, 스타일, 정보의 정확성을 일관되게 유지하여 독자가 글을 읽을 때마다 신뢰감을 느끼도록 합니다. 예를 들어, 항상 신뢰할 수 있는 출처를 인용하고, 동일한 톤으로 글을 작성합니다. 일관성은 독자의 신뢰를 얻는 기본 요소입니다.

두 번째로, 투명성을 유지하는 것입니다. 글에서 사용하는 자료의 출처를 명확히 밝히고, 인용한 정보의 출처를 투명하게 제시합니다. 예를 들어, "이 정보는 국립국어원의 자료를 바탕으로 작성되었습니다."와 같이 출처를 명확히 표기합니다. 투명성은 독자의 신뢰를 강화합니다.

세 번째로, 독자의 피드백을 적극적으로 수용하는 것입니다. 독자가 제공하는 피드백을 받아들여 글을 수정하고 보완하여 독자의 의견을 반영합니다. 예를 들어, 독자가 지적한 오류를 수정하고, 그 내용을 독자에게 알립니다. 피드백 수용은 독자와의 신뢰를 강화하는 중요한 방법입니다.

네 번째로, 정확하고 신뢰할 수 있는 정보를 제공하는 것입니다. 글에서 다루는 내용이 정확하고 신뢰할 수 있는 자료를 기반으로 작성되었음을 독자에게 전달합니다. 예를 들어, "이 자료는 최근 연구 결과를 바탕으로 작성되었습니다."와 같이 정보를 제공합니다. 정확한 정보 제공은 독자의 신뢰를 얻는 핵심입니다.

마지막으로, 독자와의 소통을 강화하는 것입니다. 글을 작성한 후에도 독자와 지속적으로 소통하며, 독자의 질문이나 의견에 성실히 답변합니다. 예를 들어, 블로그나 소셜 미디어를 통해 독자와 소통하고, 그들의 의견을 반영합니다. 소통은 독자의 신뢰를 지속적으로 유지하는 데 중요합니다.

사회적 책임과 글쓰기

사회적 책임을 고려한 글쓰기를 위해 첫 번째로 중요한 것은 사회적 영향을 고려하는 것입니다. 글이 사회에 미치는 영향을 고려하고, 긍정적인 영향을 줄 수 있는 내용을 작성합니다. 예를 들어, 환경 보호에 대한 글을 쓸 때는 독자에게 환경 보호의 중요성을 전달합니다. 사회적 영향을 고려하는 것은 책임 있는 글쓰기의 핵심입니다.

두 번째로, 차별적이거나 혐오적인 표현을 피하는 것입니다. 글에서 특정 집단을 차별하거나 혐오하는 표현을 사용하지 않도록 주의합니다. 예를 들어, 성별, 인종, 종교 등을 이유로 차별적인 언어를 사용하지 않습니다. 차별적 표현을 피하는 것은 사회적 책임을 다하는 글쓰기의 기본입니다.

세 번째로, 공정성과 균형을 유지하는 것입니다. 논쟁이 되는 주제를 다룰 때는 양쪽의 의견을 공정하게 제시하고, 균형 잡힌 시각을 유지합니다. 예를 들어, 정치적 논쟁을 다룰 때는 양쪽의 입장을 공정하게 소개합니다. 공정성과 균형은 사회적 책임을 다하는 글쓰기의 중요한 요소입니다.

네 번째로, 사회적 이슈에 대한 인식을 높이는 글을 작성하는 것입니다. 사회적으로 중요한 이슈에 대해 독자가 더 많은 정보를 얻고, 인식을 높일 수 있도록 도움을 줍니다. 예를 들어, 인권 문제나 사회적 불평등에 대한 글을 작성하여 독자의 인식을 높입니다. 사회적 이슈에 대한 인식 향상은 책임 있는 글쓰기의 한 부분입니다.

마지막으로, 독자가 실천할 수 있는 행동을 제안하는 것입니다. 사회적으로 긍정적인 변화를 이끌어낼 수 있는 구체적인 행동을 독자에게 제안합니다. 예를 들어, "일회용 플라스틱 사용 줄이기"와 같은 실천 가능한 행동을 제안합니다. 독자의 실천을 유도하는 것은 사회적 책임을 다하는 글쓰기의 중요한 방법입니다.

공정한 정보 제공

공정한 정보를 제공하기 위해 첫 번째로 중요한 것은 사실과 의견을 명확히 구분하는 것입니다. 글에서 다루는 내용이 사실에 기반한 정보인지, 개인적인 의견인지 명확히 구분하여 독자에게 전달합니다. 예를 들어, "연구에 따르면"과 "내 생각에는"을 명확히 구분합니다. 사실과 의견의 구분은 공정한 정보 제공의 기본입니다.

두 번째로, 다양한 출처를 사용하여 정보를 제공하는 것입니다. 한 가지 출처에 의존하지 않고, 다양한 출처를 사용하여 정보를 종합적으로 제공합니다. 예를 들어, 여러 학술 논문, 보고서, 전문가의 의견 등을 종합하여 정보를 제공합니다. 다양한 출처는 정보의 공정성을 높입니다.

세 번째로, 정보의 출처를 명확히 밝히는 것입니다. 글에서 인용한 정보의 출처를 명확히 밝히고, 인용 표기를 정확히 합니다. 예를 들어, "이 정보는 국립통계청의 자료를 바탕으로 작성되었습니다."와 같이 출처를 명확히 표기합니다. 출처 표기는 정보의 신뢰성과 공정성을 높입니다.

네 번째로, 편향된 표현을 피하는 것입니다. 특정 입장이나 관점을 강요하지 않고, 중립적인 시각에서 정보를 제공합니다. 예를 들어, "이 방법이 최고다" 대신 "이 방법은 여러 가지 중 하나다"와 같이 표현합니다. 편향된 표현을 피하는 것은 공정한 정보 제공의 중요한 요소입니다.

마지막으로, 독자의 입장에서 정보를 제공하는 것이 중요합니다. 독자가 이해하기 쉽고, 객관적으로 판단할 수 있는 정보를 제공하여 독자의 올바른 판단을 돕습니다. 예를 들어, 복잡한 개념은 쉽게 풀어 설명하고, 독자가 스스로 판단할 수 있도록 다양한 정보를 제공합니다. 독자의 입장을 고려한 정보 제공은 공정한 정보 제공의 핵심입니다.

독자와의 신뢰 관계 유지

독자와의 신뢰 관계를 유지하기 위해 첫 번째로 중요한 것은 일관성을 유지하는 것입니다. 글의 톤, 스타일, 정보의 정확성을 일관되게 유지하여 독자가 글을 읽을 때마다 신뢰감을 느끼도록 합니다. 예를 들어, 항상 신뢰할 수 있는 출처를 인용하고, 동일한 톤으로 글을 작성합니다. 일관성은 독자와의 신뢰 관계 유지의 기본 요소입니다.

두 번째로, 투명성을 유지하는 것입니다. 글에서 사용하는 자료의 출처를 명확히 밝히고, 인용한 정보의 출처를 투명하게 제시합니다. 예를 들어, "이 정보는 국립국어원의 자료를 바탕으로 작성되었습니다."와 같이 출처를 명확히 표기합니다. 투명성은 독자의 신뢰를 강화합니다.

세 번째로, 독자의 피드백을 적극적으로 수용하는 것입니다. 독자가 제공하는 피드백을 받아들여 글을 수정하고 보완하여 독자의 의견을 반영합니다. 예를 들어, 독자가 지적한 오류를 수정하고, 그 내용을 독자에게 알립니다. 피드백 수용은 독자와의 신뢰를 강화하는 중요한 방법입니다.

네 번째로, 정확하고 신뢰할 수 있는 정보를 제공하는 것입니다. 글에서 다루는 내용이 정확하고 신뢰할 수 있는 자료를 기반으로 작성되었음을 독자에게 전달합니다. 예를 들어, "이 자료는 최근 연구 결과를 바탕으로 작성되었습니다."와 같이 정보를 제공합니다. 정확한 정보 제공은 독자의 신뢰를 얻는 핵심입니다.

마지막으로, 독자와의 소통을 강화하는 것입니다. 글을 작성한 후에도 독자와 지속적으로 소통하며, 독자의 질문이나 의견에 성실히 답변합니다. 예를 들어, 블로그나 소셜 미디어를 통해 독자와 소통하고, 그들의 의견을 반영합니다. 소통은 독자의 신뢰를 지속적으로 유지하는 데 중요합니다.

제 8 장

퇴고 과정은 글의 구조, 표현, 논리, 맞춤법 등을 점검하고 수정하는 단계로, 편집자와 독자의 시각, 구성적/표현적 측면, 반복적인 검토와 수정, 퇴고 도구 활용 등을 고려해야 합니다. 효과적인 퇴고를 위해 다양한 시각으로 검토, 피드백 수용, 독자의 요구 반영, 체크리스트 기반 점검, 반복 읽기와 수정, 맞춤법 검사기 활용 등이 필요합니다.

1. 퇴고하기

퇴고의 단계별 방법

퇴고의 단계별 방법을 효과적으로 활용하기 위해 첫 번째로 중요한 것은 큰 그림을 보는 것입니다. 첫 번째 단계에서는 글 전체의 구조와 논리를 점검합니다. 예를 들어, 서론, 본론, 결론이 자연스럽게 연결되고 있는지 확인합니다. 큰 그림을 보는 것은 글의 전반적인 흐름과 일관성을 유지하는 데 중요합니다.

두 번째 단계에서는 각 단락의 일관성과 연결성을 점검합니다. 각 단락이 명확한 주제를 가지고 있고, 서로 자연스럽게 연결되는지 확인합니다. 예를 들어, 각 단락의 첫 문장과 마지막 문장이 다음 단락과 논리적으로 연결되는지 점검합니다. 단락의 일관성과 연결성은 글의 논리적 흐름을 강화합니다.

세 번째 단계에서는 문장 구조와 표현을 점검합니다. 문장이 명확하고 간결하게 작성되었는지, 불필요한 중복이나 모호한 표현이 없는지 확인합니다. 예를 들어, "그는 매우 빠르게 달렸다" 대신 "그는 달렸다"와 같이 간결하게 수정합니다. 문장 구조와 표현의 점검은 글의 가독성을 높입니다.

네 번째 단계에서는 맞춤법과 문법을 점검합니다. 맞춤법 검사기와 문법 검사기를 사용하여 철자 오류나 문법적 오류를 수정합니다. 예를 들어, "있습니다"와 "있읍니다"의 차이를 명확히 구분하여 수정합니다. 맞춤법과 문법의 점검은 글의 신뢰성을 높입니다.

마지막으로, 최종 점검 단계에서는 전체 글을 다시 읽어보며 최종 수정 작업을 합니다. 이 단계에서는 글의 일관성, 논리적 흐름, 표현의 정확성을 최종 점검하고, 필요한 부분을 수정합니다. 예를 들어, 전체 글을 읽으면서 마지막으로 작은 오류를 발견하고 수정합니다. 최종 점검은 글의 완성도를 높이는 중요한 과정입니다.

편집자와 독자의 시각

편집자와 독자의 시각을 고려하여 퇴고를 진행하기 위해 첫 번째로 중요한 것은 다양한 시각에서 글을 검토하는 것입니다. 자신이 작성한 글을 편집자와 독자의 시각에서 다시 읽어보며, 그들이 어떻게 받아들일지를 생각합니다. 예를 들어, "이 문장이 독자에게 명확하게 전달될까?"를 고민하며 글을 읽어봅니다. 다양한 시각에서 검토하는 것은 글의 완성도를 높입니다.

두 번째로, 피드백을 적극적으로 수용하는 것입니다. 편집자나 독자로부터 받은 피드백을 수용하고, 그 피드백을 반영하여 글을 수정합니다. 예를 들어, 편집자가 지적한 모호한 표현을 명확하게 수정합니다. 피드백 수용은 글의 개선에 중요한 역할을 합니다.

세 번째로, 독자의 관심사와 요구를 반영하는 것입니다. 글을 작성할 때 독자가 관심을 가질 만한 주제와 내용을 반영하고, 그들의 요구를 충족시키는 방향으로 글을 수정합니다. 예를 들어, 독자가 더 알고 싶어 하는 주제를 추가하거나, 복잡한 내용을 쉽게 풀어 설명합니다. 독자의 요구 반영은 글의 가독성을 높입니다.

네 번째로, 편집자의 조언을 적극적으로 따르는 것입니다. 편집자는 글의 구조, 표현, 논리 등을 개선하는 데 도움이 되는 전문적인 조언을 제공합니다. 예를 들어, 편집자의 조언에 따라 글의 구조를 재구성하거나, 표현을 더 명확하게 수정합니다. 편집자의 조언은 글의 완성도를 높이는 데 큰 도움이 됩니다.

마지막으로, 독자의 피드백을 반영하여 글을 지속적으로 개선하는 것입니다. 독자가 제공하는 피드백을 받아들여 글을 수정하고 보완하여, 독자의 의견을 반영합니다. 예를 들어, 독자가 지적한 오류를 수정하고, 그 내용을 독자에게 알립니다. 피드백 반영은 독자와의 신뢰를 강화하는 중요한 방법입니다.

구성적, 표현적 측면의 퇴고

구성적, 표현적 측면의 퇴고를 효과적으로 하기 위해 첫 번째로 중요한 것은 글의 구조를 점검하는 것입니다. 글의 서론, 본론, 결론이 논리적으로 잘 연결되고 있는지 확인하고, 각 단락이 명확한 주제를 가지고 있는지 점검합니다. 예를 들어, 서론에서 제시한 주제가 본론과 결론에서 일관되게 다루어지는지 확인합니다. 글의 구조 점검은 퇴고의 기본 단계입니다.

두 번째로, 표현의 명확성과 간결성을 점검하는 것입니다. 문장이 명확하고 간결하게 작성되었는지, 불필요한 중복이나 모호한 표현이 없는지 확인합니다. 예를 들어, "그는 매우 빠르게 달렸다" 대신 "그는 달렸다"와 같이 간결하게 수정합니다. 표현의 명확성과 간결성 점검은 글의 가독성을 높입니다.

세 번째로, 문장의 호응 관계를 점검하는 것입니다. 주어와 서술어, 수식어와 피수식어 등의 호응 관계가 적절하게 구성되었는지 확인합니다. 예를 들어, "그는 나무를 보고 있다" 대신 "그는 나무를 본다"와 같이 호응 관계를 명확히 합니다. 문장의 호응 관계 점검은 글의 일관성을 유지하는 데 중요합니다.

네 번째로, 글의 흐름과 리듬을 점검하는 것입니다. 문장의 길이와 구조를 다양하게 구성하여 글의 흐름과 리듬이 자연스럽게 유지되도록 합니다. 예를 들어, 짧은 문장과 긴 문장을 적절히 섞어 사용하여 글의 리듬을 조절합니다. 글의 흐름과 리듬 점검은 독자의 몰입감을 높입니다.

마지막으로, 비유와 은유 등의 표현 기법을 점검하는 것입니다. 비유와 은유 등의 표현 기법이 적절하게 사용되었는지, 독자에게 의미가 명확히 전달되는지 확인합니다. 예를 들어, "그의 마음은 얼음처럼 차가웠다"와 같은 비유 표현이 적절한지 점검합니다. 표현 기법 점검은 글의 표현력을 강화하는 중요한 과정입니다.

퇴고 체크리스트

퇴고 체크리스트를 활용하기 위해 첫 번째로 중요한 것은 퇴고의 주요 항목을 정의하는 것입니다. 퇴고 과정에서 점검해야 할 주요 항목을 리스트로 작성하여, 체크리스트를 기반으로 체계적으로 퇴고를 진행합니다. 예를 들어, 문법, 맞춤법, 논리적 흐름, 주제 일관성 등의 항목을 정의합니다. 주요 항목 정의는 퇴고의 체계성을 높입니다.

두 번째로, 체크리스트를 기반으로 글을 점검하는 것입니다. 퇴고 체크리스트의 각 항목을 하나씩 점검하며 글을 수정합니다. 예를 들어, "문법 오류 확인" 항목을 점검하면서 맞춤법과 문법 오류를 수정합니다. 체크리스트 기반 점검은 퇴고의 효율성을 높입니다.

세 번째로, 점검 과정에서 발견된 오류를 기록하는 것입니다. 체크리스트를 사용하여 점검할 때 발견된 오류를 기록하고, 필요한 수정 작업을 수행합니다. 예를 들어, "논리적 흐름이 어색한 부분"을 기록하고, 해당 부분을 수정합니다. 오류 기록은 퇴고의 완성도를 높이는 데 도움이 됩니다.

네 번째로, 체크리스트를 기반으로 반복 점검하는 것입니다. 한 번의 점검으로 모든 오류를 발견하기 어려우므로, 체크리스트를 기반으로 여러 번 반복하여 글을 점검합니다. 예를 들어, 처음에는 문법과 맞춤법을 점검하고, 두 번째로는 논리적 흐름을 점검합니다. 반복 점검은 글의 완성도를 높이는 중요한 과정입니다.

마지막으로, 체크리스트를 업데이트하는 것입니다. 퇴고 과정에서 새로운 점검 항목이 필요하다고 느낄 때는 체크리스트를 업데이트하여 다음 퇴고 시 활용합니다. 예를 들어, "비유 표현의 적절성" 항목을 추가합니다. 체크리스트 업데이트는 퇴고의 지속적인 개선을 가능하게 합니다.

반복 읽기와 수정

반복 읽기와 수정을 효과적으로 하기 위해 첫 번째로 중요한 것은 글을 작성한 후 일정 시간을 두고 다시 읽는 것입니다. 글을 작성한 직후에는 오류를 발견하기 어려울 수 있으므로, 몇 시간 또는 하루 정도의 시간을 두고 다시 읽어보며 오류를 찾습니다. 예를 들어,

글을 작성한 후 다음 날 다시 읽어보며 수정합니다. 일정 시간을 두고 읽는 것은 새로운 시각으로 오류를 발견하는 데 도움이 됩니다.

두 번째로, 다양한 방식으로 글을 읽어보는 것입니다. 글을 소리 내어 읽거나, 다른 사람이 읽어주는 것을 들어보며 글의 흐름과 오류를 점검합니다. 예를 들어, 글을 소리 내어 읽으면서 문장의 리듬과 흐름을 점검합니다. 다양한 방식으로 읽어보는 것은 글의 완성도를 높이는 데 도움이 됩니다.

세 번째로, 글의 일부분을 집중적으로 읽어보는 것입니다. 전체 글을 한 번에 수정하기보다, 글의 일부분을 집중적으로 읽고 수정합니다. 예를 들어, 각 단락별로 읽어보며 오류를 찾고 수정합니다. 집중적으로 읽어보는 것은 세부적인 오류를 발견하는 데 효과적입니다.

네 번째로, 반복해서 읽고 수정하는 과정을 거치는 것입니다. 글을 여러 번 반복해서 읽고, 각 번마다 새로운 시각으로 오류를 찾고 수정합니다. 예를 들어, 첫 번째 읽기에서는 문법 오류를 찾고, 두 번째 읽기에서는 논리적 오류를 찾습니다. 반복해서 읽고 수정하는 과정은 글의 완성도를 높이는 중요한 과정입니다.

마지막으로, 피드백을 반영하여 수정하는 것입니다. 다른 사람으로부터 받은 피드백을 반영하여 글을 수정하고, 그 결과를 다시 읽어보며 확인합니다. 예를 들어, 동료나 친구로부터 받은 피드백을 반영하여 글의 일부를 수정하고, 다시 읽어보며 오류를 점검합니다. 피드백 반영은 글의 개선에 중요한 역할을 합니다.

2. 도구 활용하기

퇴고 도구 사용법

퇴고 도구를 효과적으로 사용하기 위해 첫 번째로 중요한 것은 다양한 퇴고 도구를 이해하고 활용하는 것입니다. 여러 가지 퇴고 도구의 기능과 사용법을 이해하고, 글의 특정 부분에 적합한 도구를 선택합니다. 예를 들어, 문법 검사는 Grammarly, 맞춤법 검사는 한국어 맞춤법 검사기를 사용합니다. 다양한 퇴고 도구의 활용은 글의 완성도를 높이는 데 중요합니다.

두 번째로, 퇴고 도구의 한계를 이해하는 것입니다. 퇴고 도구는 많은 도움을 줄 수 있지만, 완벽하지는 않기 때문에 모든 오류를 잡아내지 못할 수 있습니다. 따라서 퇴고 도구를 사용한 후에도 직접 글을 여러 번 검토하여 추가적인 오류를 수정해야 합니다. 예를 들어, 맞춤법 검사기가 잡아내지 못한 문맥상의 오류를 직접 찾아 수정합니다.

세 번째로, 퇴고 도구의 설정을 적절히 조정하는 것입니다. 퇴고 도구의 설정을 자신의 글쓰기 스타일과 필요에 맞게 조정하여 최적의 결과를 얻습니다. 예를 들어, Grammarly의 경우 미국식 영어와 영국식 영어 중 선택할 수 있으며, 특정 문법 규칙을 활성화하거나 비활성화할 수 있습니다. 도구 설정 조정은 퇴고의 효율성을 높입니다.

네 번째로, 퇴고 도구를 사용한 후 결과를 분석하는 것입니다. 퇴고 도구가 제시하는 수정 제안을 분석하고, 필요한 부분을 반영하여 글을 수정합니다. 예를 들어, 맞춤법 검사기가 제시한 수정 제안 중 유효한 부분만을 선택하여 수정합니다. 결과 분석은 글의 질을 높이는 데 도움이 됩니다.

마지막으로, 퇴고 도구를 보조 수단으로 사용하는 것입니다. 퇴고 도구는 보조 수단으로 활용하고, 최종적인 검토와 수정은 직접 수행합니다. 예를 들어, 퇴고 도구를 사용한 후에는 직접 글을 읽어보며 최종 검토를 진행합니다. 퇴고 도구의 보조적 사용은 글의 완성도를 높이는 중요한 방법입니다.

맞춤법 검사기 활용

맞춤법 검사기를 효과적으로 활용하기 위해 첫 번째로 중요한 것은 신뢰할 수 있는 맞춤법 검사기를 선택하는 것입니다. 다양한 맞춤법 검사기 중에서 정확성과 신뢰성이 높은 것을 선택하여 사용합니다. 예를 들어, 한국어 맞춤법 검사기로는 "한국어 맞춤법/문법 검사기"를 사용할 수 있습니다. 신뢰할 수 있는 검사기 선택은 맞춤법 오류를 줄이는 첫 단계입니다.

두 번째로, 맞춤법 검사기를 글 작성 과정에서 주기적으로 사용하는 것입니다. 글을 작성하는 중간중간에 맞춤법 검사기를 사용하여 실시간으로 맞춤법 오류를 수정합니다. 예를 들어, 각 단락을 작성한 후 맞춤법 검사기를 사용하여 오류를 확인하고 수정합니다. 주기적인 사용은 맞춤법 오류를 줄이는 데 효과적입니다.

세 번째로, 맞춤법 검사기의 제안을 분석하는 것입니다. 맞춤법 검사기가 제시하는 수정 제안을 분석하고, 필요한 부분만을 반영하여 글을 수정합니다. 예를 들어, 검사기가 제시한 수정 제안 중 유효한 부분만을 선택하여 수정하고, 불필요한 수정 제안은 무시합니다. 제안 분석은 글의 정확성을 높입니다.

네 번째로, 맞춤법 검사기의 한계를 이해하는 것입니다. 맞춤법 검사기는 모든 오류를 잡아내지 못할 수 있으며, 문맥상의 오류를 인식하지 못할 수도 있습니다. 따라서 맞춤법 검사기를 사용한 후에도 직접 글을 검토하여 추가적인 오류를 수정합니다. 예를 들어, 문맥에 맞지 않는 수정 제안을 직접 수정합니다.

마지막으로, 맞춤법 검사기 사용 후 최종 검토를 수행하는 것입니다. 맞춤법 검사기를 사용한 후에는 직접 글을 읽어보며 최종 검토를 진행하고, 필요한 부분을 추가로 수정합니다. 예를 들어, 맞춤법 검사기를 사용한 후 전체 글을 다시 읽어보며 작은 오류를 찾아 수정합니다. 최종 검토는 글의 완성도를 높이는 중요한 과정입니다.

피드백 반영하기

피드백을 효과적으로 반영하기 위해 첫 번째로 중요한 것은 피드백을 열린 마음으로 수용하는 것입니다. 다른 사람의 피드백을 긍정적으로 받아들이고, 글의 개선을 위해 적극적으로 반영합니다. 예를 들어, 동료나 친구가 지적한 부분을 수용하고, 그들의 의견을 반영하여 글을 수정합니다. 열린 마음은 피드백 수용의 기본입니다.

두 번째로, 피드백을 구체적으로 분석하는 것입니다. 받은 피드백을 구체적으로 분석하고, 어떤 부분을 어떻게 수정해야 할지를 명확히 합니다. 예를 들어, "이 부분이 모호하다"는 피드백을 받았다면, 그 부분을 구체적으로 어떻게 수정할지를 고민합니다. 구체적 분석은 효과적인 수정의 첫 단계입니다.

세 번째로, 피드백을 단계별로 반영하는 것입니다. 받은 피드백을 한꺼번에 반영하기보다는, 단계별로 나누어 반영하여 수정합니다. 예를 들어, 먼저 문법적 오류를 수정하고, 그 다음 논리적 흐름을 개선하는 식으로 진행합니다. 단계별 반영은 수정의 효율성을 높입니다.

네 번째로, 피드백을 반영한 후 다시 검토하는 것입니다. 피드백을 반영하여 글을 수정한 후, 다시 읽어보며 수정된 부분이 글 전체에 잘 맞는지 확인합니다. 예를 들어, 피드백을 반영한 후 전체 글을 다시 읽어보며 논리적 일관성을 점검합니다. 다시 검토는 수정의 완성도를 높이는 중요한 과정입니다.

마지막으로, 피드백을 통해 얻은 교훈을 다음 글쓰기에도 적용하는 것입니다. 피드백을 통해 얻은 교훈을 기억하고, 다음 글쓰기에도 적용하여 글쓰기 능력을 향상시킵니다. 예를 들어, 자주 발생하는 오류를 피하고, 독자의 요구를 반영하는 글쓰기를 실천합니다. 교훈 적용은 지속적인 글쓰기 능력 향상에 도움이 됩니다.

퇴고 소프트웨어 활용

퇴고 소프트웨어를 효과적으로 활용하기 위해 첫 번째로 중요한 것은 적절한 소프트웨어를 선택하는 것입니다. 다양한 퇴고 소프트웨어 중에서 자신의 글쓰기 스타일과 필요에 맞는 소프트웨어를 선택합니다. 예를 들어, Grammarly, ProWritingAid, 한컴오피스 한글 등의 소프트웨어를 사용할 수 있습니다. 적절한 소프트웨어 선택은 퇴고의 효율성을 높입니다.

두 번째로, 소프트웨어의 기능을 충분히 활용하는 것입니다. 선택한 퇴고 소프트웨어의 다양한 기능을 충분히 활용하여 글을 수정합니다. 예를 들어, 맞춤법 검사, 문법 검사, 스타일 제안 등의 기능을 사용하여 글을 개선합니다. 기능 활용은 글의 질을 높이는 데 도움이 됩니다.

세 번째로, 소프트웨어의 설정을 조정하는 것입니다. 퇴고 소프트웨어의 설정을 자신의 글쓰기 스타일과 필요에 맞게 조정하여 최적의 결과를 얻습니다. 예를 들어, Grammarly의 경우 미국식 영어와 영국식 영어 중 선택할 수 있으며, 특정 문법 규칙을 활성화하거나 비활성화할 수 있습니다. 설정 조정은 소프트웨어 활용의 효율성을 높입니다.

네 번째로, 소프트웨어의 제안을 분석하고 선택적으로 반영하는 것입니다. 퇴고 소프트웨어가 제시하는 수정 제안을 분석하고, 필요한 부분만을 선택적으로 반영합니다. 예를 들어, 소프트웨어가 제시한 수정 제안 중 유효한 부분만을 선택하여 수정합니다. 제안 분석은 글의 정확성을 높입니다.

마지막으로, 소프트웨어를 보조 수단으로 사용하고 최종 검토는 직접 수행하는 것입니다. 퇴고 소프트웨어는 보조 수단으로 활용하고, 최종적인 검토와 수정은 직접 수행합니다. 예를 들어, 소프트웨어를 사용한 후에는 직접 글을 읽어보며 최종 검토를 진행합니다. 보조 수단 활용은 글의 완성도를 높이는 중요한 방법입니다.

퇴고 시기와 빈도

퇴고의 시기와 빈도를 효과적으로 관리하기 위해 첫 번째로 중요한 것은 글을 작성한 후 일정 시간을 두고 퇴고를 시작하는 것입니다. 글을 작성한 직후에는 오류를 발견하기 어려울 수 있으므로, 몇 시간 또는 하루 정도의 시간을 두고 퇴고를 시작합니다. 예를 들어, 글을 작성한 후 다음 날 퇴고를 시작합니다. 일정 시간을 두는 것은 새로운 시각으로 오류를 발견하는 데 도움이 됩니다.

두 번째로, 퇴고를 여러 번 반복하는 것입니다. 한 번의 퇴고로 모든 오류를 잡아내기 어렵기 때문에, 여러 번 반복하여 글을 점검하고 수정합니다. 예를 들어, 첫 번째 퇴고에서는 문법과 맞춤법을 점검하고, 두 번째 퇴고에서는 논리적 흐름을 점검합니다. 반복 퇴고는 글의 완성도를 높입니다.

세 번째로, 퇴고의 각 단계를 구체적으로 계획하는 것입니다. 퇴고의 각 단계를 구체적으로 계획하고, 어떤 시점에 어떤 항목을 점검할지를 명확히 합니다. 예를 들어, 첫 번째 단계에서는 문법과 맞춤법을 점검하고, 두 번째 단계에서는 표현과 스타일을 점검합니다. 구체적 계획은 퇴고의 효율성을 높입니다.

네 번째로, 퇴고 시마다 다른 시각에서 글을 점검하는 것입니다. 각 퇴고 시마다 다른 시각에서 글을 점검하여 다양한 오류를 발견하고 수정합니다. 예를 들어, 첫 번째 퇴고에서는 저자의 시각에서, 두 번째 퇴고에서는 독자의 시각에서 점검합니다. 다른 시각 활용은 글의 완성도를 높이는 데 도움이 됩니다.

마지막으로, 퇴고 시기를 일정하게 유지하는 것입니다. 일정한 시기마다 글을 퇴고하여 규칙적인 습관을 기릅니다. 예를 들어, 매주 일정한 날에 글을 퇴고하는 습관을 기릅니다. 일정한 시기 유지 습관은 퇴고의 일관성을 높입니다.

3. 글의 완성도 높이기

외부 리뷰 활용

글의 완성도를 높이기 위해 첫 번째로 중요한 것은 외부 리뷰를 활용하는 것입니다. 외부 리뷰는 다른 사람의 시각에서 글을 검토하고 피드백을 제공받는 과정입니다. 신뢰할 수 있는 리뷰어를 선택하여 글의 구조, 내용, 표현 등을 검토받습니다. 예를 들어, 동료 작가나 전문가에게 글을 보여주고 피드백을 받습니다. 외부 리뷰는 글의 품질을 향상시키는 데 큰 도움이 됩니다.

두 번째로, 리뷰어의 피드백을 구체적으로 분석하는 것입니다. 리뷰어가 제공하는 피드백을 분석하고, 어떤 부분을 어떻게 수정할지를 명확히 합니다. 예를 들어, "이 부분이 모호하다"는 피드백을 받았다면, 그 부분을 구체적으로 어떻게 수정할지를 고민합니다. 피드백 분석은 효과적인 수정의 첫 단계입니다.

세 번째로, 피드백을 단계별로 반영하는 것입니다. 받은 피드백을 한꺼번에 반영하기보다는, 단계별로 나누어 반영하여 수정합니다. 예를 들어, 먼저 문법적 오류를 수정하고, 그 다음 논리적 흐름을 개선하는 식으로 진행합니다. 단계별 반영은 수정의 효율성을 높입니다.

네 번째로, 외부 리뷰어와의 지속적인 소통을 유지하는 것입니다. 리뷰어와 지속적으로 소통하며 추가적인 피드백을 받고, 수정된 내용을 확인합니다. 예를 들어, 수정된 글을 다시 리뷰어에게 보여주고 추가 피드백을 받습니다. 지속적인 소통은 글의 완성도를 높이는 데 중요합니다.

마지막으로, 외부 리뷰를 통해 얻은 교훈을 다음 글쓰기에도 적용하는 것입니다. 외부 리뷰를 통해 얻은 교훈을 기억하고, 다음 글쓰기에도 적용하여 글쓰기 능력을 향상시킵니다. 예를 들어, 자주 발생하는 오류를 피하고, 독자의 요구를 반영하는 글쓰기를 실천합니다. 교훈 적용은 지속적인 글쓰기 능력 향상에 도움이 됩니다.

최종 검토와 수정

최종 검토와 수정을 효과적으로 하기 위해 첫 번째로 중요한 것은 전체 글을 다시 읽어보는 것입니다. 글을 작성한 후 일정 시간을 두고 전체 글을 다시 읽어보며, 전체적인 흐름과 일관성을 점검합니다. 예를 들어, 글의 서론, 본론, 결론이 자연스럽게 연결되는지 확인합니다. 전체 글 읽기는 최종 검토의 기본 단계입니다.

두 번째로, 문장과 단락의 구조를 점검하는 것입니다. 각 문장과 단락이 명확한 주제를 가지고 있으며, 서로 논리적으로 연결되는지 확인합니다. 예를 들어, 각 단락의 첫 문장과 마지막 문장이 다음 단락과 논리적으로 연결되는지 점검합니다. 문장과 단락 구조 점검은 글의 일관성을 유지하는 데 중요합니다.

세 번째로, 표현의 정확성과 명확성을 점검하는 것입니다. 문장이 명확하고 간결하게 작성되었는지, 불필요한 중복이나 모호한 표현이 없는지 확인합니다. 예를 들어, "그는 매우 빠르게 달렸다" 대신 "그는 달렸다"와 같이 간결하게 수정합니다. 표현의 정확성과 명확성 점검은 글의 가독성을 높입니다.

네 번째로, 맞춤법과 문법을 최종 점검하는 것입니다. 맞춤법 검사기와 문법 검사기를 사용하여 철자 오류나 문법적 오류를 수정합니다. 예를 들어, "있습니다"와 "있읍니다"의 차이를 명확히 구분하여 수정합니다. 맞춤법과 문법 점검은 글의 신뢰성을 높입니다.

마지막으로, 최종 점검 후 필요한 부분을 추가로 수정하는 것입니다. 최종 점검을 통해 발견된 오류나 불완전한 부분을 수정하고, 전체 글의 완성도를 높입니다. 예를 들어, 전체 글을 읽으면서 작은 오류를 발견하고 수정합니다. 최종 점검과 수정은 글의 완성도를 높이는 중요한 과정입니다.

독자 테스트 진행

독자 테스트를 진행하기 위해 첫 번째로 중요한 것은 목표 독자를 선정하는 것입니다. 글의 대상 독자를 명확히 설정하고, 그들로부터 피드백을 받기 위해 독자 테스트를 진행합니다. 예를 들어, 특정 연령대나 직업군의 독자를 대상으로 테스트를 진행합니다. 목표 독자 선정은 독자 테스트의 첫 단계입니다.

두 번째로, 테스트에 참여할 독자를 모집하는 것입니다. 글의 대상 독자에 해당하는 사람들을 모집하여 글을 읽고 피드백을 제공받습니다. 예를 들어, 소셜 미디어나 커뮤니티를 통해 독자를 모집합니다. 독자 모집은 테스트의 성공적인 진행을 위해 중요합니다.

세 번째로, 독자에게 구체적인 피드백을 요청하는 것입니다. 독자가 글을 읽고 구체적인 피드백을 제공할 수 있도록 질문을 작성합니다. 예를 들어, "이 부분이 이해가 쉬운가요?", "내용이 흥미로운가요?"와 같은 질문을 포함합니다. 구체적 피드백 요청은 독자의 의견을 효과적으로 수집하는 데 도움이 됩니다.

네 번째로, 독자의 피드백을 분석하고 반영하는 것입니다. 독자가 제공한 피드백을 분석하고, 필요한 부분을 수정하여 글을 개선합니다. 예를 들어, 독자가 지적한 모호한 표현을 명확하게 수정합니다. 피드백 분석과 반영은 글의 완성도를 높이는 중요한 과정입니다.

마지막으로, 독자 테스트의 결과를 바탕으로 최종 수정을 진행하는 것입니다. 독자 테스트의 결과를 반영하여 글을 최종적으로 수정하고, 전체 글의 완성도를 높입니다. 예를 들어, 독자의 피드백을 반영하여 전체 글을 다시 검토하고 수정합니다. 최종 수정은 글의 완성도를 높이는 마지막 단계입니다.

피드백 반영 및 수정

피드백을 효과적으로 반영하기 위해 첫 번째로 중요한 것은 피드백을 열린 마음으로 수용하는 것입니다. 다른 사람의 피드백을 긍정적으로 받아들이고, 글의 개선을 위해 적극적으로 반영합니다. 예를 들어, 동료나 친구가 지적한 부분을 수용하고, 그들의 의견을 반영하여 글을 수정합니다. 열린 마음은 피드백 수용의 기본입니다.

두 번째로, 피드백을 구체적으로 분석하는 것입니다. 받은 피드백을 구체적으로 분석하고, 어떤 부분을 어떻게 수정해야 할지를 명확히 합니다. 예를 들어, "이 부분이 모호하다"는 피드백을 받았다면, 그 부분을 구체적으로 어떻게 수정할지를 고민합니다. 구체적 분석은 효과적인 수정의 첫 단계입니다.

세 번째로, 피드백을 단계별로 반영하는 것입니다. 받은 피드백을 한꺼번에 반영하기보다는, 단계별로 나누어 반영하여 수정합니다. 예를 들어, 먼저 문법적 오류를 수정하고, 그 다음 논리적 흐름을 개선하는 식으로 진행합니다. 단계별 반영은 수정의 효율성을 높입니다.

네 번째로, 피드백을 반영한 후 다시 검토하는 것입니다. 피드백을 반영하여 글을 수정한 후, 다시 읽어보며 수정된 부분이 글 전체에 잘 맞는지 확인합니다. 예를 들어, 피드백을 반영한 후 전체 글을 다시 읽어보며 논리적 일관성을 점검합니다. 다시 검토는 수정의 완성도를 높이는 중요한 과정입니다.

마지막으로, 피드백을 통해 얻은 교훈을 다음 글쓰기에도 적용하는 것입니다. 피드백을 통해 얻은 교훈을 기억하고, 다음 글쓰기에도 적용하여 글쓰기 능력을 향상시킵니다. 예를 들어, 자주 발생하는 오류를 피하고, 독자의 요구를 반영하는 글쓰기를 실천합니다. 교훈 적용은 지속적인 글쓰기 능력 향상에 도움이 됩니다.

최종 원고 준비

최종 원고를 준비하기 위해 첫 번째로 중요한 것은 모든 피드백을 반영하여 글을 최종 수정하는 것입니다. 독자 테스트와 외부 리뷰를 통해 받은 피드백을 모두 반영하고, 글의 완성도를 높입니다. 예를 들어, 독자의 피드백을 반영하여 모호한 표현을 명확하게 수정합니다. 피드백 반영은 최종 원고 준비의 기본 단계입니다.

두 번째로, 최종 원고의 형식을 점검하는 것입니다. 출판사나 편집자의 요구에 맞게 원고의 형식을 점검하고, 필요한 형식적 요소를 반영합니다. 예를 들어, 페이지 번호, 제목, 부제 등의 형식을 점검합니다. 형식 점검은 원고의 완성도를 높이는 데 중요합니다.

세 번째로, 최종 원고를 여러 번 반복하여 검토하는 것입니다. 최종 원고를 여러 번 반복하여 읽어보며 작은 오류나 불완전한 부분을 수정합니다. 예를 들어, 맞춤법과 문법을 다시 한 번 점검하고, 문장의 흐름을 확인합니다. 반복 검토는 원고의 완성도를 높이는 중요한 과정입니다.

네 번째로, 최종 원고를 다른 사람에게 다시 검토받는 것입니다. 최종 원고를 신뢰할 수 있는 동료나 전문가에게 보여주고, 추가적인 피드백을 받습니다. 예를 들어, 최종 원고를 편집자에게 보여주고, 마지막 피드백을 반영합니다. 다른 사람의 검토는 최종 원고의 완성도를 높이는 데 도움이 됩니다.

마지막으로, 최종 원고를 출판 준비 상태로 제출하는 것입니다. 최종 원고를 출판사나 편집자에게 제출하기 전에 모든 준비를 마치고, 필요한 서류나 파일을 함께 제출합니다. 예를 들어, 최종 원고와 함께 저작권 관련 서류를 제출합니다. 최종 원고 제출은 출판 과정의 마지막 단계입니다.

글쓰기의 기본부터

출판과 마케팅까지

새로운 차원의 글쓰기를 경험하세요

성공적인 저자로서의 여정을 지금 시작하세요.

제 9 장

책의 구성 요소와 카피라이팅

이 장에서는 책의 구성 요소를 효과적으로 작성하는 방법과 카피라이팅 기본 원칙을 배울 수 있습니다. 또한, 검색 최적화와 마케팅 전략, 책 디자인 요소에 대한 팁도 제공합니다.

1. 책의 구성 요소

서문과 작가소개 쓰기

서문과 작가소개를 효과적으로 작성하기 위해 첫 번째로 중요한 것은 서문의 목적을 명확히 하는 것입니다. 서문은 독자가 책을 읽기 전에 저자의 의도와 책의 주요 내용을 간략히 소개하는 부분입니다. 예를 들어, 서문에서 책을 쓰게 된 동기와 주요 내용을 간단히 설명합니다. 서문의 목적을 명확히 하면 독자의 이해를 돕고 책에 대한 기대감을 높일 수 있습니다.

두 번째로, 서문은 간결하고 흥미롭게 작성해야 합니다. 독자의 관심을 끌기 위해 서문을 짧고 간결하게 작성하고, 흥미로운 이야기나 에피소드를 포함합니다. 예를 들어, 책을 쓰게 된 계기나 저자의 개인적인 경험을 서문에 포함시켜 독자의 흥미를 유도합니다. 간결하고 흥미로운 서문은 독자의 호기심을 자극합니다.

세 번째로, 작가소개는 저자의 신뢰성을 높이는 데 중점을 둡니다. 작가소개에서는 저자의 경력, 업적, 전문성을 강조하여 독자가 저자를 신뢰할 수 있도록 합니다. 예를 들어, "저자는 20년 이상의 경력을 가진 전문 편집자로, 다수의 베스트셀러를 편집한 경험이 있습니다."와 같이 작성합니다. 작가소개는 저자의 신뢰성을 높이는 중요한 부분입니다.

네 번째로, 서문과 작가소개는 책의 전체적인 톤과 스타일을 반영해야 합니다. 서문과 작가소개는 책의 첫 인상을 결정짓는 부분이므로, 책의 전체적인 톤과 스타일을 반영하여 일관성을 유지합니다. 예를 들어, 책이 친근하고 가벼운 톤이라면 서문과 작가소개도 그런 톤으로 작성합니다. 톤과 스타일의 일관성은 독자의 신뢰를 높입니다.

마지막으로, 서문과 작가소개를 작성한 후 여러 번 검토하고 수정하는 것입니다. 서문과 작가소개는 책의 첫 인상을 결정짓는 중요한 부분이므로, 여러 번 읽어보고 수정하여 완성도를 높입니다. 예를 들어, 동료나 친구에게 보여주고 피드백을 받아 수정합니다. 검토와 수정은 서문과 작가소개를 완성하는 중요한 과정입니다.

카피라이팅 기본 원칙

카피라이팅의 기본 원칙을 효과적으로 활용하기 위해 첫 번째로 중요한 것은 독자의 관심을 끄는 것입니다. 독자의 관심을 끌기 위해 강렬하고 흥미로운 문구를 사용합니다. 예를 들어, "이 책을 읽고 당신의 인생을 바꾸세요!"와 같은 강렬한 문구를 사용합니다. 독자의 관심을 끄는 것은 카피라이팅의 첫 번째 원칙입니다.

두 번째로, 간결하고 명확한 표현을 사용하는 것입니다. 카피는 짧고 간결하게 작성하여 독자가 쉽게 이해할 수 있도록 합니다. 예를 들어, "단 10분 만에 완벽한 글쓰기 비법을 배워보세요!"와 같이 간결한 문구를 사용합니다. 간결하고 명확한 표현은 독자의 이해를 돕습니다.

세 번째로, 독자가 얻을 수 있는 혜택을 강조하는 것입니다. 카피에서는 독자가 이 책을 통해 얻을 수 있는 혜택을 명확히 제시합니다. 예를 들어, "이 책을 통해 시간 관리를 마스터하고, 더 많은 시간을 가지세요!"와 같이 혜택을 강조합니다. 혜택 강조는 독자의 관심을 높입니다.

네 번째로, 신뢰성과 권위를 높이는 요소를 포함하는 것입니다. 카피에서는 저자의 전문성, 경력, 성과 등을 강조하여 독자의 신뢰를 얻습니다. 예를 들어, "20년 경력의 편집자가 전하는 글쓰기 비법"과 같이 저자의 신뢰성을 강조합니다. 신뢰성과 권위는 독자의 신뢰를 높이는 중요한 요소입니다.

마지막으로, 독자의 행동을 유도하는 것입니다. 카피에서는 독자가 책을 구매하거나 읽도록 유도하는 문구를 포함합니다. 예를 들어, "지금 바로 구매하여 새로운 글쓰기 세계를 경험해보세요!"와 같이 독자의 행동을 유도합니다. 행동 유도는 카피라이팅의 중요한 원칙입니다.

제목과 부제목 작성 전략

제목과 부제목을 효과적으로 작성하기 위해 첫 번째로 중요한 것은 주목을 끄는 제목을 만드는 것입니다. 제목은 독자의 눈길을 끌고 책의 내용을 간략히 전달해야 합니다. 예를 들어, "쉽게 쓰고 잘 팔리는 책 만들기"와 같이 주목을 끄는 제목을 작성합니다. 주목을 끄는 제목은 독자의 관심을 높이는 첫 단계입니다.

두 번째로, 부제목은 제목을 보완하고 추가적인 정보를 제공해야 합니다. 부제목은 제목의 내용을 보완하면서도 추가적인 정보를 제공하여 독자가 책의 내용을 더 잘 이해할 수 있도록 합니다. 예를 들어, "효과적인 글쓰기와 출판 전략"과 같이 부제목을 작성합니다. 부제목은 책의 내용을 더 명확하게 전달하는 데 도움이 됩니다.

세 번째로, 제목과 부제목은 간결하고 명확해야 합니다. 제목과 부제목은 짧고 간결하게 작성하여 독자가 쉽게 이해할 수 있도록 합니다. 예를 들어, "완벽한 글쓰기 비법"과 같은 간결한 제목과 부제목을 사용합니다. 간결하고 명확한 표현은 독자의 이해를 돕습니다.

네 번째로, 독자의 감정과 관심을 자극하는 요소를 포함해야 합니다. 제목과 부제목은 독자의 감정과 관심을 자극하는 요소를 포함하여 독자가 책을 읽고 싶어 하도록 합니다. 예를 들어, "인생을 바꾸는 글쓰기 기술"과 같이 감정적인 요소를 포함합니다. 감정과 관심 자극은 독자의 호기심을 높입니다.

마지막으로, 제목과 부제목을 여러 번 검토하고 수정하는 것입니다. 제목과 부제목은 책의 첫 인상을 결정짓는 중요한 부분이므로, 여러 번 읽어보고 수정하여 완성도를 높입니다. 예를 들어, 동료나 친구에게 보여주고 피드백을 받아 수정합니다. 검토와 수정은 제목과 부제목을 완성하는 중요한 과정입니다.

목차와 부록 구성

목차와 부록을 효과적으로 구성하기 위해 첫 번째로 중요한 것은 책의 전체 구조를 명확히 하는 것입니다. 목차는 책의 전체 구조를 독자에게 보여주고, 각 장과 절의 내용을 간략히 소개합니다. 예를 들어, "1장: 꿈꾸는 책, 팔리는 책", "2장: 아이디어의 씨앗 심기"와 같이 명확히 구성합니다. 목차는 독자가 책의 내용을 쉽게 파악할 수 있도록 돕습니다.

두 번째로, 목차는 논리적이고 일관성 있게 구성해야 합니다. 각 장과 절이 논리적으로 연결되고, 일관된 주제를 가지고 있어야 합니다. 예를 들어, "1장: 꿈꾸는 책, 팔리는 책", "2장: 아이디어의 씨앗 심기", "3장: 구조의 미학"과 같이 일관성 있게 구성합니다. 논리적이고 일관성 있는 구성은 독자의 이해를 돕습니다.

세 번째로, 부록은 추가적인 정보를 제공하는 부분으로 구성해야 합니다. 부록은 본문에서 다루지 못한 추가적인 정보나 참고 자료를 제공하여 독자의 이해를 돕습니다. 예를 들어, "부록 1: 참고 문헌", "부록 2: 추가 자료"와 같이 구성합니다. 부록은 독자의 이해를 깊게 하는 데 도움이 됩니다.

네 번째로, 목차와 부록은 독자가 쉽게 찾을 수 있도록 구성해야 합니다. 목차와 부록의 페이지 번호를 명확히 기재하여 독자가 필요한 부분을 쉽게 찾을 수 있도록 합니다. 예를 들어, "1장: 꿈꾸는 책, 팔리는 책 (페이지 1)", "부록 1: 참고 문헌 (페이지 250)"과 같이 구성합니다. 페이지 번호 기재는 독자의 편의를 높입니다.

마지막으로, 목차와 부록을 작성한 후 여러 번 검토하고 수정하는 것입니다. 목차와 부록은 책의 중요한 부분이므로, 여러 번 읽어보고 수정하여 완성도를 높입니다. 예를 들어, 동료나 친구에게 보여주고 피드백을 받아 수정합니다. 검토와 수정은 목차와 부록을 완성하는 중요한 과정입니다.

책의 디자인 요소

책의 디자인 요소를 효과적으로 구성하기 위해 첫 번째로 중요한 것은 표지 디자인입니다. 표지 디자인은 독자의 첫인상을 결정짓는 요소로, 책의 주제와 내용을 시각적으로 표현해야 합니다. 예를 들어, "쉽게 쓰고 잘 팔리는 책 만들기"라는 제목에 맞는 시각적 요소를 포함한 표지 디자인을 선택합니다. 표지 디자인은 독자의 관심을 끄는 첫 단계입니다.

두 번째로, 내지 디자인은 읽기 편하도록 구성해야 합니다. 내지 디자인은 글의 가독성을 높이기 위해 글자 크기, 행간, 여백 등을 적절히 조절합니다. 예를 들어, 글자 크기는 너무 작지 않게, 행간은 적절히 넓게 구성합니다. 내지 디자인은 독자의 읽기 편의를 높입니다.

세 번째로, 시각적 요소를 적절히 활용하는 것입니다. 삽화, 도표, 사진 등 시각적 요소를 적절히 활용하여 독자의 이해를 돕습니다. 예를 들어, 중요한 내용을 강조하기 위해 도표나 그림을 사용합니다. 시각적 요소는 독자의 관심을 높이고 이해를 돕는 중요한 부분입니다.

네 번째로, 일관된 디자인 스타일을 유지하는 것입니다. 표지와 내지 디자인, 시각적 요소 등이 일관된 스타일을 유지하여 책의 전체적인 통일감을 줍니다. 예를 들어, 표지의 색상과 내지 디자인의 색상을 일치시키고, 글꼴을 통일합니다. 일관된 디자인 스타일은 책의 품격을 높입니다.

마지막으로, 디자인 요소를 최종 점검하고 수정하는 것입니다. 디자인 요소를 최종 점검하여 작은 오류나 불완전한 부분을 수정하고, 전체적인 완성도를 높입니다. 예를 들어, 표지 디자인의 작은 오류를 수정하고, 내지 디자인의 배치를 다시 검토합니다. 최종 점검과 수정은 디자인 요소의 완성도를 높이는 중요한 과정입니다.

2. 검색 최적화와 마케팅

검색에 걸리는 제목 쓰기

검색 최적화를 위해 첫 번째로 중요한 것은 키워드 연구입니다. 독자가 책을 검색할 때 사용하는 키워드를 조사하고, 그 키워드를 제목에 포함시킵니다. 예를 들어, "글쓰기", "베스트셀러", "출판" 등의 키워드를 사용합니다. 키워드 연구는 검색 결과에서 책의 가시성을 높이는 첫 단계입니다.

두 번째로, 제목은 간결하고 명확해야 합니다. 독자가 쉽게 이해할 수 있도록 제목을 짧고 명확하게 작성합니다. 예를 들어, "쉽게 쓰고 잘 팔리는 책 만들기"와 같은 제목을 사용합니다. 간결하고 명확한 제목은 검색 엔진과 독자 모두에게 유리합니다.

세 번째로, 제목에 메인 키워드를 자연스럽게 포함하는 것입니다. 메인 키워드를 제목에 자연스럽게 포함시켜 검색 결과에 잘 노출되도록 합니다. 예를 들어, "베스트셀러 글쓰기 비법"과 같이 작성합니다. 메인 키워드 포함은 검색 엔진 최적화에 중요합니다.

네 번째로, 부제목을 활용하여 추가적인 키워드를 포함하는 것입니다. 부제목을 통해 추가적인 정보를 제공하고, 더 많은 키워드를 포함시킵니다. 예를 들어, "쉽게 쓰고 잘 팔리는 책 만들기: 효과적인 글쓰기와 출판 전략"과 같이 작성합니다. 부제목 활용은 검색 결과의 다양성을 높입니다.

마지막으로, 제목을 여러 번 검토하고 수정하는 것입니다. 제목을 여러 번 읽어보고, 검색 최적화에 적합한지 검토하며 수정합니다. 예를 들어, 동료나 친구에게 보여주고 피드백을 받아 수정합니다. 검토와 수정은 최적의 제목을 만드는 중요한 과정입니다.

독자의 관심을 끄는 카피 작성

독자의 관심을 끄는 카피를 작성하기 위해 첫 번째로 중요한 것은 독자의 감정을 자극하는 것입니다. 독자의 감정을 자극하는 문구를 사용하여 호기심과 흥미를 유발합니다. 예를 들어, "이 책을 읽고 당신의 글쓰기 능력을 극대화하세요!"와 같은 문구를 사용합니다. 감정 자극은 독자의 관심을 끄는 첫 단계입니다.

두 번째로, 독자가 얻을 수 있는 구체적인 혜택을 강조하는 것입니다. 독자가 이 책을 통해 얻을 수 있는 구체적인 혜택을 명확히 제시합니다. 예를 들어, "글쓰기의 비밀을 배우고, 베스트셀러 작가가 되세요!"와 같은 문구를 사용합니다. 구체적 혜택 강조는 독자의 관심을 높입니다.

세 번째로, 독자의 호기심을 유발하는 질문을 사용하는 것입니다. 독자가 궁금해할 만한 질문을 던져 관심을 끌어냅니다. 예를 들어, "당신은 왜 글쓰기가 어려운지 궁금하지 않나요?"와 같은 질문을 사용합니다. 호기심 유발은 독자의 참여를 촉진합니다.

네 번째로, 독자의 신뢰를 얻을 수 있는 요소를 포함하는 것입니다. 저자의 경력, 성과, 권위 등을 강조하여 독자의 신뢰를 얻습니다. 예를 들어, "20년 경력의 편집자가 전하는 글쓰기 비법"과 같은 문구를 사용합니다. 신뢰 요소 포함은 독자의 신뢰를 높입니다.

마지막으로, 카피를 여러 번 검토하고 수정하는 것입니다. 카피를 여러 번 읽어보고, 독자의 관심을 끌기에 적합한지 검토하며 수정합니다. 예를 들어, 동료나 친구에게 보여주고 피드백을 받아 수정합니다. 검토와 수정은 최적의 카피를 만드는 중요한 과정입니다.

소셜 미디어 활용법

소셜 미디어를 효과적으로 활용하기 위해 첫 번째로 중요한 것은 플랫폼 선택입니다. 책의 내용과 타겟 독자에 적합한 소셜 미디어 플랫폼을 선택합니다. 예를 들어, 글쓰기와 출판에 관심 있는 독자라면 페이스북, 인스타그램, 트위터 등을 활용합니다. 플랫폼 선택은 소셜 미디어 마케팅의 첫 단계입니다

두 번째로, 정기적으로 콘텐츠를 게시하는 것입니다. 정기적인 게시물은 독자와의 지속적인 소통을 유지하고, 관심을 끌어냅니다. 예를 들어, 매주 글쓰기 팁이나 책의 일부 내용을 게시합니다. 정기적 콘텐츠 게시물은 독자의 관심을 지속시키는 데 중요합니다.

세 번째로, 독자와의 소통을 강화하는 것입니다. 독자와 적극적으로 소통하며, 댓글이나 메시지에 빠르게 답변합니다. 예를 들어, 독자가 질문을 하면 신속하게 답변하고, 피드백을 반영합니다. 소통 강화는 독자의 신뢰와 충성도를 높입니다.

네 번째로, 시각적 요소를 활용하는 것입니다. 시각적으로 매력적인 이미지를 사용하여 독자의 관심을 끌어냅니다. 예를 들어, 책의 표지 디자인, 인용구, 삽화 등을 이미지로 만들어 게시합니다. 시각적 요소 활용은 소셜 미디어의 도달 범위를 넓힙니다.

마지막으로, 소셜 미디어 캠페인을 계획하고 실행하는 것입니다. 특정 기간 동안 집중적인 캠페인을 통해 책의 홍보 효과를 극대화합니다. 예를 들어, 신간 출간 기념 이벤트나 독자 참여 이벤트를 진행합니다. 캠페인 계획과 실행은 소셜 미디어 마케팅의 성공을 돕습니다.

출판 후 마케팅 전략

출판 후 마케팅 전략을 효과적으로 세우기 위해 첫 번째로 중요한 것은 목표 설정입니다. 책의 판매 목표, 타겟 독자, 마케팅 기간 등을 명확히 설정합니다. 예를 들어, "출판 후 3개월 동안 1000부 판매"와 같은 구체적인 목표를 설정합니다. 목표 설정은 마케팅 전략의 첫 단계입니다.

두 번째로, 다양한 마케팅 채널을 활용하는 것입니다. 소셜 미디어, 이메일 마케팅, 블로그, 웹사이트 등 다양한 채널을 통해 책을 홍보합니다. 예를 들어, 페이스북 광고, 뉴스레터 발송, 블로그 리뷰 등을 활용합니다. 다양한 채널 활용은 마케팅의 범위를 넓힙니다.

세 번째로, 독자와의 직접적인 소통을 강화하는 것입니다. 독자와의 직접적인 소통을 통해 피드백을 받고, 이를 반영하여 마케팅 전략을 개선합니다. 예를 들어, 독자 이벤트를 통해 직접 소통하거나, 독자 설문조사를 실시합니다. 직접 소통은 독자의 충성도를 높입니다.

네 번째로, 마케팅 데이터를 분석하고 최적화하는 것입니다. 마케팅 활동의 효과를 분석하고, 데이터를 기반으로 전략을 최적화합니다. 예를 들어, 소셜 미디어 광고의 클릭률, 판매량 등을 분석하여 효과적인 전략을 찾아냅니다. 데이터 분석과 최적화는 마케팅의 성공을 돕습니다.

마지막으로, 장기적인 마케팅 계획을 세우는 것입니다. 출판 후 초기 마케팅뿐만 아니라, 장기적인 마케팅 계획을 세워 지속적으로 책을 홍보합니다. 예를 들어, 정기적인 프로모션, 신규 콘텐츠 업데이트 등을 계획합니다. 장기적 계획은 책의 지속적인 판매를 유지하는 데 중요합니다.

온라인 리뷰 관리

온라인 리뷰를 효과적으로 관리하기 위해 첫 번째로 중요한 것은 리뷰 모니터링입니다. 주요 온라인 서점, 블로그, 소셜 미디어 등의 리뷰를 주기적으로 모니터링하여 독자의 피드백을 확인합니다. 예를 들어, 아마존, 네이버 책, 페이스북 등의 리뷰를 정기적으로 확인합니다. 리뷰 모니터링은 독자의 의견을 파악하는 첫 단계입니다.

두 번째로, 긍정적인 리뷰에 감사의 인사를 전하는 것입니다. 긍정적인 리뷰를 작성한 독자에게 감사의 인사를 전하며, 그들의 지지를 감사하게 여깁니다. 예를 들어, "소중한 리뷰에 감사드립니다. 앞으로도 좋은 책을 만들기 위해 노력하겠습니다."와 같은 인사를 전합니다. 감사 인사는 독자의 신뢰를 높입니다.

세 번째로, 부정적인 리뷰에 성실하게 대응하는 것입니다. 부정적인 리뷰에 대해 방어적이거나 공격적으로 대응하지 않고, 성실하고 정중하게 답변합니다. 예를 들어, "의견을 주셔서 감사합니다. 말씀해 주신 부분을 개선하기 위해 노력하겠습니다."와 같은 답변을 합니다. 성실한 대응은 독자의 신뢰를 유지하는 데 중요합니다.

네 번째로, 리뷰의 피드백을 반영하여 개선하는 것입니다. 리뷰를 통해 얻은 피드백을 반영하여 책의 내용이나 마케팅 전략을 개선합니다. 예를 들어, 독자가 지적한 오류나 부족한 부분을 수정하고, 이를 독자에게 알립니다. 피드백 반영은 책의 완성도를 높이는 중요한 과정입니다.

마지막으로, 긍정적인 리뷰를 마케팅에 활용하는 것입니다. 긍정적인 리뷰를 마케팅 자료로 활용하여 책의 신뢰성과 인기를 강조합니다. 예를 들어, "이 책은 정말 유익했습니다!"와 같은 리뷰를 인용하여 홍보 자료에 포함합니다. 리뷰 활용은 마케팅의 효과를 높이는 데 도움이 됩니다.

3. 출판 준비

출판사 선택하기

출판사를 선택하는 첫 번째 단계는 출판사의 전문성과 출판 분야를 파악하는 것입니다. 출판사가 주로 다루는 분야와 그들의 전문성을 확인하여 자신의 책과 잘 맞는지 평가합니다. 예를 들어, 글쓰기와 출판 관련 서적을 전문으로 하는 출판사를 찾습니다. 출판사의 전문성 파악은 책의 성공적인 출판에 중요한 역할을 합니다.

두 번째로, 출판사의 평판과 과거 출판 기록을 조사합니다. 출판사의 평판, 이전에 출판한 책들의 성공 여부, 독자들의 평가 등을 조사하여 신뢰할 수 있는 출판사인지 확인합니다. 예를 들어, 베스트셀러를 다수 출판한 출판사를 선택합니다. 평판과 과거 기록 조사는 출판사의 신뢰성을 판단하는 데 도움이 됩니다.

세 번째로, 출판사의 계약 조건과 지원 내용을 확인합니다. 출판 계약 조건, 저작권 보호, 마케팅 지원, 인쇄 및 배포 조건 등을 면밀히 검토합니다. 예를 들어, 출판사가 제공하는 마케팅 지원과 인쇄 부수 등을 확인합니다. 계약 조건과 지원 내용 확인은 출판사의 선택을 결정짓는 중요한 요소입니다.

네 번째로, 출판사와의 소통과 협력 관계를 평가합니다. 출판사와 원활한 소통이 가능하고, 협력 관계를 유지할 수 있는지 평가합니다. 예를 들어, 출판사와의 초기 상담에서 소통이 원활한지 확인합니다. 소통과 협력 관계 평가는 출판 과정에서의 원활한 진행을 보장합니다.

마지막으로, 여러 출판사와 상담하여 비교하고 최종 결정을 내립니다. 여러 출판사와 상담을 진행하고, 각각의 조건과 지원 내용을 비교하여 최종 결정을 내립니다. 예를 들어, 3~4개의 출판사와 상담을 진행한 후 최종 선택을 합니다. 여러 출판사와의 상담과 비교는 최적의 출판사를 선택하는 데 중요합니다.

출판 계약 이해하기

출판 계약을 이해하기 위해 첫 번째로 중요한 것은 계약서의 주요 항목을 파악하는 것입니다. 출판 계약서의 주요 항목, 즉 저작권, 인세, 인쇄 부수, 배포 범위 등을 명확히 이해합니다. 예를 들어, 저작권의 귀속 여부와 인세 비율을 확인합니다. 주요 항목 파악은 계약의 기본입니다.

두 번째로, 계약 조건을 면밀히 검토하는 것입니다. 계약서의 각 조건을 면밀히 검토하고, 불리한 조건이 있는지 확인합니다. 예를 들어, 인세 지급 조건이나 계약 기간 등을 꼼꼼히 확인합니다. 조건 검토는 계약의 유리한 조건을 확보하는 데 중요합니다.

세 번째로, 법률 전문가의 도움을 받는 것입니다. 출판 계약서의 내용을 완전히 이해하기 어려운 경우, 법률 전문가나 출판 관련 상담가의 도움을 받아 계약서를 검토합니다. 예를 들어, 변호사에게 계약서를 검토받고 조언을 구합니다. 법률 전문가의 도움은 계약의 신뢰성을 높입니다.

네 번째로, 계약서에 명시된 의무와 권리를 이해하는 것입니다. 출판사와 저자의 의무와 권리가 명확히 정의되어 있는지 확인하고, 각 조건을 이해합니다. 예를 들어, 출판사의 마케팅 지원 의무와 저자의 홍보 활동 참여 의무를 확인합니다. 의무와 권리 이해는 계약 이행의 원활함을 보장합니다.

마지막으로, 계약서에 대한 질문을 출판사에 명확히 하고, 필요한 수정 사항을 요청합니다. 계약서의 내용 중 이해되지 않거나 불리한 조건에 대해 출판사에 질문하고, 필요한 경우 계약 조건 수정을 요청합니다. 예를 들어, 인세 비율에 대해 논의하고 수정 요청을 합니다. 질문과 수정 요청은 계약의 공정성을 확보하는 데 중요합니다.

출판 과정의 이해

출판 과정을 이해하기 위해 첫 번째로 중요한 것은 출판의 기본 단계를 파악하는 것입니다. 출판 과정은 원고 작성, 편집, 디자인, 인쇄, 배포 등 여러 단계를 포함합니다. 예를 들어, 원고 작성 후 편집자가 원고를 검토하고 수정합니다. 기본 단계 파악은 출판 과정의 전체적인 흐름을 이해하는 데 도움을 줍니다.

두 번째로, 각 단계의 역할과 책임을 이해하는 것입니다. 각 출판 단계에서 저자와 출판사의 역할과 책임을 명확히 이해합니다. 예를 들어, 저자는 원고를 작성하고 수정하는 역할을 하며, 출판사는 편집과 디자인을 담당합니다. 역할과 책임 이해는 원활한 출판 과정을 보장합니다.

세 번째로, 출판 일정과 기한을 관리하는 것입니다. 각 출판 단계의 일정과 기한을 명확히 설정하고, 이를 준수합니다. 예를 들어, 원고 제출 기한, 편집 완료 기한, 인쇄 시작 기한 등을 설정합니다. 일정과 기한 관리는 출판 과정의 효율성을 높입니다.

네 번째로, 출판 과정에서 발생할 수 있는 문제를 예측하고 대비하는 것입니다. 출판 과정에서 발생할 수 있는 문제를 예측하고, 이를 해결하기 위한 대책을 마련합니다. 예를 들어, 인쇄 오류나 배송 지연 등에 대비합니다. 문제 예측과 대비는 출판 과정의 원활한 진행을 돕습니다.

마지막으로, 출판 과정의 각 단계를 모니터링하고, 필요한 경우 수정과 조정을 합니다. 출판 과정의 각 단계를 모니터링하여 문제가 발생할 경우 신속히 수정하고 조정합니다. 예를 들어, 편집 과정에서 오류를 발견하면 즉시 수정합니다. 모니터링과 조정은 출판 과정의 성공을 보장합니다.

자가 출판과 상업 출판 비교

자가 출판과 상업 출판을 비교하기 위해 첫 번째로 중요한 것은 각 방식의 장단점을 이해하는 것입니다. 자가 출판은 저자가 모든 출판 과정을 관리하며, 상업 출판은 출판사가 대부분의 과정을 담당합니다. 예를 들어, 자가 출판은 저자가 더 많은 자유와 수익을 가지지만, 더 많은 책임과 비용이 발생합니다. 장단점 이해는 출판 방식 선택에 도움이 됩니다.

두 번째로, 자가 출판과 상업 출판의 비용 구조를 비교하는 것입니다. 자가 출판은 인쇄, 디자인, 마케팅 등의 비용을 저자가 부담하며, 상업 출판은 출판사가 대부분의 비용을 부담합니다. 예를 들어, 자가 출판은 초기 비용이 높지만, 상업 출판은 인세가 낮을 수 있습니다. 비용 구조 비교는 예산 계획에 중요합니다.

세 번째로, 마케팅과 배포 전략을 비교하는 것입니다. 자가 출판은 저자가 직접 마케팅과 배포를 관리해야 하며, 상업 출판은 출판사가 마케팅과 배포를 담당합니다. 예를 들어, 상업 출판은 더 넓은 배포 네트워크와 마케팅 자원을 가지고 있습니다. 마케팅과 배포 전략 비교는 출판 방식 선택에 영향을 줍니다.

네 번째로, 저자의 시간과 노력을 비교하는 것입니다. 자가 출판은 저자가 모든 출판 과정을 직접 관리해야 하므로 더 많은 시간과 노력이 필요하며, 상업 출판은 출판사가 대부분의 작업을 담당합니다. 예를 들어, 자가 출판은 저자의 시간 관리가 중요합니다. 시간과 노력 비교는 출판 방식 선택에 중요한 요소입니다.

마지막으로, 출판 방식 선택에 따른 결과를 예측하는 것입니다. 자가 출판과 상업 출판의 결과를 예측하고, 각 방식이 저자의 목표와 잘 맞는지 평가합니다. 예를 들어, 자가 출판은 더 많은 수익을 가져올 수 있지만, 상업 출판은 더 넓은 독자층에 도달할 수 있습니다. 결과 예측은 출판 방식 선택에 중요한 역할을 합니다.

출판 후 배포 전략

출판 후 배포 전략을 효과적으로 세우기 위해 첫 번째로 중요한 것은 배포 채널을 다양화하는 것입니다. 오프라인 서점, 온라인 서점, 전자책 플랫폼 등 다양한 배포 채널을 활용하여 독자에게 접근합니다. 예를 들어, 아마존, 교보문고, 리디북스 등을 활용합니다. 배포 채널 다양화는 독자의 접근성을 높입니다.

두 번째로, 독자층에 맞는 배포 전략을 세우는 것입니다. 책의 타겟 독자층에 맞춰 배포 전략을 세우고, 그들이 주로 이용하는 채널을 중심으로 배포합니다. 예를 들어, 젊은 독자층을 타겟으로 하는 경우, 전자책 플랫폼과 소셜 미디어를 활용합니다. 독자층 맞춤 전략은 배포의 효과를 높입니다.

세 번째로, 마케팅과 배포를 연계하는 것입니다. 마케팅 활동과 배포 전략을 연계하여 책의 인지도를 높이고 판매를 촉진합니다. 예를 들어, 소셜 미디어 광고를 통해 책의 홍보를 하고, 바로 구매할 수 있는 링크를 제공합니다. 마케팅과 배포 연계는 판매 증진에 중요합니다.

네 번째로, 배포 데이터를 분석하고 전략을 조정하는 것입니다. 배포 과정에서 얻은 데이터를 분석하여 효과적인 배포 전략을 찾아내고, 필요한 경우 전략을 조정합니다. 예를 들어, 특정 채널에서 판매가 높다면 해당 채널에 집중합니다. 데이터 분석과 전략 조정은 배포의 효율성을 높입니다.

마지막으로, 독자 피드백을 반영하여 배포 전략을 개선하는 것입니다. 독자의 피드백을 받아 배포 전략을 개선하고, 독자의 요구를 반영합니다. 예를 들어, 독자가 특정 서점에서 책을 찾기 어렵다고 하면 해당 서점에 책을 더 많이 배포합니다. 피드백 반영은 독자의 만족도를 높입니다.

Part 04

마케팅과 강의 및 후속작 준비

제 10 장

마케팅과
저자 브랜딩

이 장에서는 효과적인 도서 마케팅 방법, 보도자료 작성법, 저자 브랜딩 전략, 북 트레일러 제작, 독자 이벤트 기획, 그리고 책을 기반으로 한 강의 기회와 강의 준비 방법에 대해 설명합니다. 이 모든 점들은 책의 판매와 인지도를 높이는 데 중요한 요소들입니다.

1. 도서 마케팅

효과적인 마케팅 방법

효과적인 마케팅 방법을 위해 첫 번째로 중요한 것은 타겟 독자를 명확히 정의하는 것입니다. 타겟 독자의 연령, 성별, 직업, 관심사 등을 구체적으로 정의하고, 그들의 관심을 끌 수 있는 마케팅 전략을 세웁니다. 예를 들어, 글쓰기와 출판에 관심이 많은 20~40대 직장인을 타겟으로 설정합니다. 타겟 독자 정의는 마케팅의 첫 단계입니다.

두 번째로, 다양한 마케팅 채널을 활용하는 것입니다. 소셜 미디어, 이메일 마케팅, 블로그, 웹사이트 등 다양한 채널을 통해 독자에게 접근합니다. 예를 들어, 페이스북 광고, 뉴스레터 발송, 블로그 포스트 등을 활용합니다. 다양한 채널 활용은 마케팅의 범위를 넓힙니다.

세 번째로, 콘텐츠 마케팅을 강화하는 것입니다. 독자의 관심을 끌 수 있는 유용한 콘텐츠를 제공하여 독자와의 관계를 강화합니다. 예를 들어, 글쓰기 팁, 인터뷰, 책의 일부 내용을 블로그나 소셜 미디어에 게시합니다. 콘텐츠 마케팅은 독자의 참여를 유도하는 데 효과적입니다.

네 번째로, 광고와 프로모션을 활용하는 것입니다. 유료 광고와 프로모션을 통해 책의 인지도를 높이고 판매를 촉진합니다. 예를 들어, 구글 애드워즈나 페이스북 광고를 통해 책을 홍보하고, 한정된 기간 동안 할인 이벤트를 진행합니다. 광고와 프로모션은 판매 증진에 중요합니다.

마지막으로, 마케팅 활동을 주기적으로 평가하고 개선하는 것입니다. 마케팅 활동의 효과를 분석하고, 데이터를 기반으로 전략을 조정합니다. 예를 들어, 광고 클릭률, 판매량 등을 분석하여 효과적인 마케팅 전략을 찾아냅니다. 평가와 개선은 마케팅의 성공을 보장합니다.

보도자료 작성법

보도자료를 효과적으로 작성하기 위해 첫 번째로 중요한 것은 뉴스 가치가 있는 내용을 강조하는 것입니다. 보도자료의 핵심 내용은 독자와 언론의 관심을 끌 수 있어야 하므로, 뉴스 가치가 높은 내용을 강조합니다. 예를 들어, 책의 독특한 주제나 저자의 특별한 배경 등을 강조합니다. 뉴스 가치 강조는 보도자료의 첫 단계입니다.

두 번째로, 보도자료의 구조를 명확하게 하는 것입니다. 보노자료는 제목, 서론, 본론, 결론의 구조를 갖추어야 하며, 각 부분은 명확하고 간결하게 작성합니다. 예를 들어, 제목은 책의 핵심 주제를 간결하게 전달하고, 서론에서는 책의 주요 내용을 소개합니다. 명확한 구조는 독자의 이해를 돕습니다.

세 번째로, 중요한 정보를 앞부분에 배치하는 것입니다. 보도자료의 앞부분에 가장 중요한 정보를 배치하여 독자가 첫 부분만 읽어도 주요 내용을 파악할 수 있도록 합니다. 예를 들어, 첫 문장에 책의 출간 소식과 주요 내용을 담습니다. 정보 배치는 독자의 관심을 끌기 위한 중요한 방법입니다.

네 번째로, 인용구를 활용하여 신뢰성을 높이는 것입니다. 저자나 관련 전문가의 인용구를 포함하여 보도자료의 신뢰성을 높입니다.

예를 들어, "저자는 '이 책을 통해 독자들이 글쓰기에 대한 자신감을 얻기를 바란다'고 말했습니다."와 같은 인용구를 포함합니다. 인용구 활용은 신뢰성을 강화합니다.

마지막으로, 보도자료를 여러 번 검토하고 수정하는 것입니다. 보도자료를 작성한 후 여러 번 읽어보고, 문법적 오류나 불명확한 표현을 수정하여 완성도를 높입니다. 예를 들어, 동료나 친구에게 보여주고 피드백을 받아 수정합니다. 검토와 수정은 보도자료의 완성도를 높이는 중요한 과정입니다.

저자 브랜딩 전략

저자 브랜딩 전략을 효과적으로 세우기 위해 첫 번째로 중요한 것은 저자의 전문성과 독특한 개성을 강조하는 것입니다. 저자의 경력, 전문성, 독특한 개성을 부각시켜 독자에게 저자를 매력적으로 보이게 합니다. 예를 들어, "20년 경력의 베스트셀러 편집자"와 같은 경력을 강조합니다. 전문성과 개성 강조는 브랜딩의 첫 단계입니다.

두 번째로, 일관된 이미지와 메시지를 유지하는 것입니다. 저자의 이미지와 메시지를 일관되게 유지하여 독자에게 신뢰감을 줍니다. 예를 들어, 소셜 미디어, 블로그, 인터뷰 등에서 일관된 톤과 스타일을 유지합니다. 일관성 유지는 독자의 신뢰를 높입니다.

세 번째로, 다양한 채널을 통해 저자의 이야기를 전하는 것입니다. 소셜 미디어, 블로그, 유튜브 등 다양한 채널을 통해 저자의 이야기를 전하고, 독자와의 접점을 늘립니다. 예를 들어, 유튜브 채널을 통해 글쓰기 팁을 공유하고, 독자와 소통합니다. 다양한 채널 활용은 저자의 인지도를 높입니다.

네 번째로, 독자와의 소통을 강화하는 것입니다. 독자와 적극적으로 소통하며 피드백을 수용하고, 독자의 의견을 반영합니다. 예를 들어, 독자 이벤트를 통해 독자와 직접 소통하거나, 소셜 미디어를 통해 질문에 답변합니다. 소통 강화는 독자의 충성도를 높입니다.

마지막으로, 브랜딩 활동을 주기적으로 평가하고 개선하는 것입니다. 저자 브랜딩 활동의 효과를 분석하고, 데이터를 기반으로 전략을 조정합니다. 예를 들어, 소셜 미디어 팔로워 수, 블로그 방문자 수 등을 분석하여 효과적인 브랜딩 전략을 찾아냅니다. 평가와 개선은 브랜딩의 성공을 보장합니다.

북 트레일러 제작

북 트레일러를 효과적으로 제작하기 위해 첫 번째로 중요한 것은 책의 핵심 내용을 시각적으로 전달하는 것입니다. 책의 주요 내용과 주제를 시각적으로 표현하여 독자의 관심을 끌어냅니다. 예를 들어, 책의 주요 장면을 짧은 동영상으로 제작합니다. 시각적 전달은 트레일러의 첫 단계입니다.

두 번째로, 트레일러의 스토리텔링을 강화하는 것입니다. 트레일러는 짧은 시간 내에 책의 이야기를 전달해야 하므로, 강력한 스토리텔링이 필요합니다. 예를 들어, 책의 주요 갈등이나 해결 과정을 중심으로 스토리를 구성합니다. 스토리텔링 강화는 독자의 몰입을 돕습니다.

세 번째로, 음악과 음향 효과를 활용하는 것입니다. 적절한 음악과 음향 효과를 사용하여 트레일러의 분위기를 조성하고, 독자의 감정을 자극합니다. 예를 들어, 긴장감 있는 장면에는 긴장감을 높이는 음악을 사용합니다. 음악과 음향 효과는 트레일러의 완성도를 높입니다.

네 번째로, 짧고 강렬한 메시지를 포함하는 것입니다. 트레일러의 마지막 부분에 책의 핵심 메시지나 구매를 유도하는 문구를 포함하여 독자의 행동을 유도합니다. 예를 들어, "이 책을 통해 글쓰기의 비밀을 알아보세요!"와 같은 메시지를 포함합니다. 강렬한 메시지는 독자의 행동을 유도합니다.

마지막으로, 트레일러를 다양한 플랫폼에 배포하는 것입니다. 유튜브, 소셜 미디어, 출판사 웹사이트 등 다양한 플랫폼에 트레일러를 배포하여 더 많은 독자에게 접근합니다. 예를 들어, 유튜브 채널에 트레일러를 업로드하고, 소셜 미디어에 공유합니다. 플랫폼 배포는 트레일러의 도달 범위를 넓힙니다.

독자 이벤트 기획

독자 이벤트를 효과적으로 기획하기 위해 첫 번째로 중요한 것은 이벤트의 목적을 명확히 하는 것입니다. 독자 이벤트의 목적을 명확히 정의하고, 그에 맞는 이벤트를 기획합니다. 예를 들어, 책의 홍보, 독자와의 소통 강화, 피드백 수집 등을 목적으로 설정합니다. 목적 정의는 이벤트 기획의 첫 단계입니다.

두 번째로, 독자의 참여를 유도하는 흥미로운 이벤트를 기획하는 것입니다. 독자가 흥미를 느끼고 적극적으로 참여할 수 있는 이벤트를 기획합니다. 예를 들어, 글쓰기 대회, 독서 토론회, 저자와의 Q&A 세션 등을 기획합니다. 흥미로운 이벤트 기획은 독자의 참여를 촉진합니다.

세 번째로, 이벤트의 세부 계획을 철저히 준비하는 것입니다. 이벤트의 일정, 장소, 진행 방법, 홍보 방법 등을 철저히 계획합니다. 예를 들어, 온라인 이벤트의 경우, 플랫폼 선택, 참여 방법 안내, 사전 홍보 등을 준비합니다. 세부 계획 준비는 이벤트의 원활한 진행을 돕습니다.

네 번째로, 이벤트의 홍보를 강화하는 것입니다. 다양한 채널을 통해 이벤트를 홍보하고, 독자의 참여를 유도합니다. 예를 들어, 소셜 미디어, 이메일 뉴스레터, 출판사 웹사이트 등을 통해 이벤트를 홍보합니다. 홍보 강화는 이벤트의 성공을 보장합니다.

마지막으로, 이벤트 후 피드백을 수집하고 평가하는 것입니다. 이벤트 후 독자의 피드백을 수집하고, 이벤트의 성공 여부를 평가하여 다음 이벤트 기획에 반영합니다. 예를 들어, 설문조사를 통해 독자의 의견을 수집합니다. 피드백 수집과 평가는 지속적인 이벤트 개선에 도움이 됩니다.

2. 강의와 후속작 준비

책을 기반으로 한 강의 기회

책을 기반으로 한 강의 기회를 효과적으로 찾기 위해 첫 번째로 중요한 것은 강의 주제를 명확히 정의하는 것입니다. 책의 내용 중 강의로 발전시킬 수 있는 주제를 선정하고, 그 주제를 중심으로 강의를 기획합니다. 예를 들어, "효과적인 글쓰기 기법"이나 "책 출판 과정의 이해"와 같은 주제를 선택합니다. 주제 정의는 강의 기회의 첫 단계입니다.

두 번째로, 강의 기회를 제공하는 플랫폼과 기관을 조사하는 것입니다. 다양한 교육 플랫폼, 도서관, 출판사, 기업 등에서 강의 기회를 제공하므로, 이를 조사하고 접촉합니다. 예를 들어, 대학의 공개 강의 프로그램이나 기업의 교육 워크숍 등을 조사합니다. 플랫폼과 기관 조사로 강의 기회를 찾습니다.

세 번째로, 강의 제안을 준비하는 것입니다. 강의의 주제, 목적, 예상 청중, 강의 방식 등을 포함한 강의 제안서를 작성하여 제안합니다. 예를 들어, "이 강의는 글쓰기의 기본 원칙과 실습을 통해 참가자들이 자신의 글쓰기 능력을 향상시키는 것을 목표로 합니다."와 같은 제안서를 작성합니다. 강의 제안 준비는 성공적인 강의 기획의 중요한 단계입니다.

네 번째로, 네트워크를 활용하여 강의 기회를 찾는 것입니다. 출판사, 동료 작가, 교육 관계자 등과의 네트워크를 활용하여 강의 기회를 찾고 연결합니다. 예를 들어, 출판사를 통해 강의 기회를 소개받거나, 동료 작가의 추천을 받습니다. 네트워크 활용은 강의 기회를 확장하는 데 도움이 됩니다.

마지막으로, 강의 홍보를 강화하는 것입니다. 소셜 미디어, 블로그, 뉴스레터 등을 통해 강의를 홍보하고, 더 많은 청중을 유치합니다. 예를 들어, 자신의 블로그나 소셜 미디어 계정을 통해 강의 일정을 알리고, 참여를 유도합니다. 홍보 강화는 강의의 성공을 보장합니다.

강의 준비와 진행 방법

강의를 효과적으로 준비하고 진행하기 위해 첫 번째로 중요한 것은 강의 자료를 철저히 준비하는 것입니다. 강의 내용을 체계적으로 정리하고, 필요한 슬라이드, 핸드아웃, 실습 자료 등을 준비합니다. 예를 들어, 강의 주제별로 슬라이드를 작성하고, 실습에 필요한 자료를 준비합니다. 자료 준비는 강의의 첫 단계입니다.

두 번째로, 강의의 구조를 명확히 하는 것입니다. 강의의 서론, 본론, 결론을 명확히 구분하고, 각 부분의 내용을 체계적으로 구성합니다. 예를 들어, 서론에서는 강의의 목적과 개요를 설명하고, 본론에서는 주요 내용을 다루며, 결론에서는 요약과 질의응답 시간을 갖습니다. 구조 명확화는 강의의 흐름을 원활하게 합니다.

세 번째로, 다양한 강의 기법을 활용하는 것입니다. 강의 중에는 다양한 기법을 활용하여 청중의 참여와 이해를 돕습니다. 예를 들어, 토론, 실습, 사례 연구, 멀티미디어 자료 등을 활용합니다. 다양한 기법 활용은 강의의 효과를 높입니다.

네 번째로, 청중의 참여를 유도하는 것입니다. 강의 중에 청중의 질문을 받고, 토론을 유도하며, 실습을 통해 적극적인 참여를 유도합니다. 예를 들어, 강의 중간에 질의응답 시간을 갖거나, 소그룹 토론을 진행합니다. 참여 유도는 강의의 몰입도를 높입니다.

마지막으로, 강의 후 피드백을 수집하고 평가하는 것입니다. 강의 후 청중의 피드백을 수집하여 강의의 장단점을 평가하고, 다음 강의를 위해 개선합니다. 예를 들어, 설문조사를 통해 강의 내용, 진행 방식 등에 대한 피드백을 받습니다. 피드백 수집과 평가는 강의의 지속적인 개선을 돕습니다.

차기작 준비 및 기획

차기작을 효과적으로 준비하고 기획하기 위해 첫 번째로 중요한 것은 새로운 아이디어를 발굴하는 것입니다. 차기작의 주제와 내용을 결정하기 위해 새로운 아이디어를 발굴하고, 이를 체계적으로 정리합니다. 예를 들어, 최신 트렌드, 독자의 피드백, 개인적 관심사 등을 바탕으로 아이디어를 모읍니다. 아이디어 발굴은 차기작 준비의 첫 단계입니다.

두 번째로, 아이디어를 구체화하고 기획서를 작성하는 것입니다. 발굴한 아이디어를 구체화하여 차기작의 기획서를 작성합니다. 예를 들어, 주제, 주요 내용, 예상 독자층, 출간 목표 등을 포함한 기획서를 작성합니다. 아이디어 구체화와 기획서 작성은 차기작의 기획을 체계화합니다.

세 번째로, 시장 조사를 통해 차기작의 가능성을 평가하는 것입니다. 차기작의 주제와 내용이 독자에게 얼마나 관심을 끌 수 있는지를 평가하기 위해 시장 조사를 실시합니다. 예를 들어, 유사한 주제의 책들이 어떻게 평가받았는지, 어떤 점이 독자에게 호평을 받았는지를 조사합니다. 시장 조사는 차기작의 성공 가능성을 높입니다.

네 번째로, 차기작의 집필 계획을 세우는 것입니다. 집필 일정, 작업 방식, 필요한 자료 등을 계획하여 체계적으로 집필을 진행합니다. 예를 들어, 매주 특정 시간에 글을 쓰고, 필요한 자료를 사전에 준비합니다. 집필 계획 세우기는 차기작의 원활한 진행을 보장합니다.

마지막으로, 차기작의 홍보와 마케팅 전략을 미리 준비하는 것입니다. 차기작 출간 후의 홍보와 마케팅 전략을 미리 준비하여 출간 시점에 효과적으로 홍보합니다. 예를 들어, 출간 기념 이벤트, 소셜 미디어 캠페인 등을 기획합니다. 홍보와 마케팅 전략 준비는 차기작의 성공을 돕습니다.

독자와의 지속적 관계 유지

독자와의 지속적 관계를 유지하기 위해 첫 번째로 중요한 것은 정기적인 소통입니다. 블로그, 소셜 미디어, 뉴스레터 등을 통해 독자와 정기적으로 소통하며, 새로운 소식과 유용한 정보를 제공합니다. 예를 들어, 주간 뉴스레터를 통해 글쓰기 팁과 책의 업데이트 소식을 전합니다. 정기적 소통은 독자와의 관계를 지속적으로 강화합니다.

두 번째로, 독자의 피드백을 적극적으로 수용하는 것입니다. 독자가 제공하는 피드백을 수용하고, 이를 바탕으로 책의 내용이나 강의 방법을 개선합니다. 예를 들어, 독자가 지적한 내용을 반영하여 책의 일부를 수정하거나, 강의 내용을 보완합니다. 피드백 수용은 독자의 신뢰를 높입니다.

세 번째로, 독자 참여 이벤트를 기획하는 것입니다. 독자가 직접 참여할 수 있는 이벤트를 기획하여 독자의 참여를 유도합니다. 예를 들어, 독서 토론회, 온라인 Q&A 세션, 글쓰기 대회 등을 기획합니다. 참여 이벤트는 독자와의 관계를 강화하는 데 효과적입니다.

네 번째로, 독자의 성과를 인정하고 격려하는 것입니다. 독자가 글쓰기나 독서에서 성과를 냈을 때 이를 인정하고 격려합니다. 예를 들어, 독자가 작성한 우수한 글을 블로그나 소셜 미디어에 소개합니다. 성과 인정과 격려는 독자의 동기부여를 높입니다.

마지막으로, 독자의 요구와 기대에 맞추어 지속적으로 콘텐츠를 제공하는 것입니다. 독자가 관심을 가질 만한 새로운 콘텐츠를 지속적으로 제공하여 독자의 기대를 충족시킵니다. 예를 들어, 글쓰기 팁, 독서 추천 목록, 인터뷰 기사 등을 정기적으로 제공합니다. 지속적 콘텐츠 제공은 독자의 만족도를 높입니다.

새로운 아이디어 발굴

새로운 아이디어를 효과적으로 발굴하기 위해 첫 번째로 중요한 것은 다양한 정보를 접하는 것입니다. 책, 기사, 학술 논문, 블로그, 소셜 미디어 등 다양한 정보원을 통해 최신 정보를 접하고, 이를 바탕으로 아이디어를 모읍니다. 예를 들어, 매일 아침 주요 뉴스 사이트를 방문하여 최신 트렌드를 파악합니다. 다양한 정보 접하는 것은 아이디어 발굴의 첫 단계입니다.

두 번째로, 창의적 사고 기법을 활용하는 것입니다. 브레인스토밍, 마인드맵, 스캠퍼(SCAMMPER) 등의 창의적 사고 기법을 활용하여 새로운 아이디어를 도출합니다. 예를 들어, 주제에 대해 브레인스토밍을 통해 다양한 아이디어를 모읍니다. 창의적 사고 기법 활용은 아이디어 도출을 촉진합니다.

세 번째로, 타 분야의 아이디어를 접목하는 것입니다. 자신의 분야와 다른 분야의 아이디어를 접목하여 새로운 관점을 도출합니다. 예를 들어, 기술과 예술, 과학과 문학 등의 융합을 시도합니다. 타 분야 아이디어 접목은 독창적인 아이디어를 발굴하는 데 도움이 됩니다.

네 번째로, 독자의 요구와 피드백을 반영하는 것입니다. 독자가 원하는 내용이나 피드백을 반영하여 새로운 아이디어를 도출합니다. 예를 들어, 독자가 자주 질문하는 주제나 요구하는 내용을 바탕으로 새로운 책의 주제를 설정합니다. 독자 요구 반영은 실질적인 아이디어를 제공합니다.

마지막으로, 아이디어를 체계적으로 정리하고 보관하는 것입니다. 발굴한 아이디어를 체계적으로 정리하고, 필요할 때 쉽게 찾을 수 있도록 보관합니다. 예를 들어, 아이디어 노트를 작성하거나, 디지털 도구를 활용하여 아이디어를 정리합니다. 체계적 정리와 보관은 아이디어 활용을 용이하게 합니다.

글쓰기의 기본부터

출판과 마케팅까지

새로운 차원의 글쓰기를 경험하세요

성공적인 저자로서의 여정을 지금 시작하세요.

결론 **성공적인
저자로서의
여정**

이 책은 성공적인 저자가 되기 위한 글쓰기와 출판의
전 과정을 꼼꼼히 탐구하며, 아이디어 발굴부터
마케팅까지의 여정을 함께 합니다. 독자와의 소통을
강화하고, 독자의 요구를 충족하는 책 작성에 초점을
맞추고 있습니다.

결론: 성공적인 저자로서의 여정

이제 우리는 이 책을 통해 글쓰기와 출판의 모든 과정을 탐구하고, 성공적인 저자가 되는 여정을 함께 했습니다. 이 결론에서는 여러분이 배운 모든 것을 한눈에 되돌아보고, 다시 한번 요약하며 되새기는 시간을 가져보겠습니다.

1장: 꿈꾸는 책, 팔리는 책

우리는 글쓰기의 중요성을 이해하는 것부터 시작했습니다. 글쓰기는 단순한 표현이 아니라, 자신의 생각과 감정을 전달하는 강력한 도구입니다. 글쓰기를 통해 우리는 독자와 소통하고, 세상에 자신의 목소리를 내는 법을 배웠습니다. 편안하게 글을 쓰는 방법, 성공적인 글쓰기 습관을 형성하는 방법도 배웠습니다.

또한, 좋은 책과 잘 팔리는 책의 차이점과 공통점을 알아 보았습니다. 좋은 책은 독자에게 의미 있는 메시지를 전달하고, 잘 팔리는 책은 독자의 요구를 충족시킵니다. 이 두 가지를 결합하여 독자가 원하는 책을 쓰는 것이 목표입니다.

2장: 아이디어의 씨앗 심기

아이디어는 글쓰기의 출발점입니다. 우리는 아이디어를 모으는 방법, 경험과 지식을 정리하는 방법을 배웠습니다. 아이디어 노트를 작성하고, 창의적 사고법을 익혀 아이디어를 발전시키는 과정도 살펴보았습니다. 자료를 수집하고 검증하며, 최신 트렌드와 독자의 관심사를 반영하는 방법도 중요했습니다.

3장: 구조의 미학

책의 구조는 독자가 내용을 쉽게 이해하고 따라오게 하는 데 중요한 역할을 합니다. 목차를 구성하는 방법, 독자의 마음을 읽고 시장을 탐험하는 방법을 배웠습니다. 독자의 유형을 분석하고, 그들의 요구와 기대를 반영하여 책의 구조를 설계하는 것이 중요합니다. 이 과정은 책의 성공을 결정짓는 중요한 요소로, 독자와의 소통을 통해 책의 내용을 보다 효과적으로 전달할 수 있게 합니다.

4장: 페이지 구성의 예술

한 페이지를 잘 쓰는 법, 강력한 도입부를 작성하는 방법, 본문의 논리적 흐름을 유지하는 방법을 배웠습니다. 짧고 강렬한 문장 쓰기, 논리적 오류 피하기, 핵심 메시지 강조하기 등은 독자의 관심을 끌고 유지하는 데 필수적입니다. 또한, 독자의 관심을 끌 수 있도록 문장과 문단의 흐름을 자연스럽게 이어가는 방법, 그리고 복잡한 아이디어를 쉽게 이해할 수 있도록 설명하는 방법도 중요한 글쓰기 기술입니다.

5장: 논리와 설득의 무기

논리적이고 설득력 있는 글쓰기는 독자의 이해와 동의를 이끌어내는 데 필수적입니다. 이를 위해 글의 통일성과 유기성을 확보하고, 명료하고 구체적인 표현을 사용하는 방법을 배웠습니다. 또한, 글쓰기는 독자와의 소통을 강화하는 도구로써, 설득력 있는 사례를 제시하는 방법도 중요한 부분입니다. 이러한 방법을 통해 독자와의 소통을 효과적으로 이뤄내고, 독자에게 긍정적인 영향을 미칠 수 있습니다.

6장: 글의 분위기와 표현

글의 톤과 스타일은 독자의 감정과 관심을 끌어내는 데 중요한 역할을 합니다. 글의 분위기를 설정하고, 일관된 톤을 유지하는 방법을 배웠습니다. 또한, 글의 품격을 높이고 독자에게 신뢰감을 주는 맞춤법과 문법을 지키는 것이 중요합니다. 문장의 리듬과 흐름을 조절하여 독자가 읽기 쉽도록 하는 것도 필수적인 요소입니다. 이러한 모든 것들은 글을 읽는 독자의 경험을 향상시키고, 글쓴이의 메시지가 효과적으로 전달되도록 돕습니다.

7장: 글의 정확성과 윤리

윤리적이고 책임 있는 글쓰기는 독자의 신뢰를 얻는 데 필수적입니다. 글의 오류를 제거하고, 저작권을 이해하며, 사회적 책임을 고려하는 방법을 배웠습니다. 공정한 정보를 제공하고, 독자와의 신뢰 관계를 유지하는 것이 중요합니다. 이는 독자가 저자의 전문성을 인정하고, 저자의 말을 신뢰하는 데 결정적인 역할을 합니다. 또한, 이러한 신뢰 관계는 독자가 저자의 다른 작품도 찾아보고, 저자를 계속 따르게 만드는 기반이 됩니다.

8장: 퇴고의 예술

완성된 글은 여러 차례의 퇴고를 통해 다듬어집니다. 퇴고의 단계별 방법, 다양한 퇴고 도구 활용법, 외부 리뷰를 통한 수정 방법을 배웠습니다. 반복 읽기와 수정, 최종 검토와 수정을 통해 글의 완성도를 높이는 과정도 살펴보았습니다.

9장: 책의 구성 요소와 카피라이팅

책의 구성 요소와 카피라이팅의 중요성을 이해했습니다. 서문과 작가소개 작성, 카피라이팅의 기본 원칙 이해, 제목과 부제목 작성 전략, 목차와 부록의 구성은 책의 퀄리티를 높이는데 중요합니다. 또한, 책의 디자인 요소는 독자의 시선을 끌어들이는데 매우 중요한 역할을 합니다. 검색 최적화와 마케팅 전략을 통해 책의 판매량을 증가시키는 방법, 출판 준비 과정을 통해 책을 출판하는 데 필요한 절차와 방법을 배웠습니다. 이 모든 과정은 책을 만드는데 있어 중요한 과정입니다.

10장: 마케팅과 저자 브랜딩

책을 효과적으로 마케팅하고, 저자로서의 브랜딩을 강화하는 방법을 배웠습니다. 도서 마케팅 전략을 개발하고, 보도자료 작성법을 익히며, 저자 브랜딩 전략을 설계하였습니다. 북 트레일러 제작과 독자 이벤트 기획까지, 다양한 방법을 활용하여 책과 저자의 브랜드 가치를 높였습니다. 또한 강의 기회 찾기, 후속작 준비, 독자와의 지속적 관계 유지, 새로운 아이디어 발굴 등을 통해 저자로서의 지속 가능한 성장을 위한 기반을 마련하였습니다.

작가 인사말 여여 (如如) 안형렬

안녕하세요, 작가 안형렬입니다. "쉽게 쓰고 잘 팔리는 책 만들기"는 글쓰기와 출판의 여정을 안내하는 실전 가이드로, 여러분이 성공적인 저자로서의 길을 걷는 데 필요한 모든 지식을 제공합니다. 이 책은 글쓰기의 기본 원칙부터 시작하여, 아이디어 발굴, 페이지 구성, 퇴고, 출판, 마케팅까지 모든 과정을 다룹니다.

이 책을 통해 독자 여러분은 글쓰기를 통해 자신의 생각과 감정을 효과적으로 표현하는 방법을 배우게 됩니다. 글쓰기는 단순한 정보 전달을 넘어, 자신의 목소리를 세상에 알리는 강력한 도구입니다. 이 책은 여러분이 편안하게 글을 쓰고, 창의적인 아이디어를 발전시키며, 논리적이고 설득력 있는 글을 작성할 수 있도록 돕습니다.

또한, 출판과 마케팅의 전략을 통해 책을 성공적으로 출간하고, 더 많은 독자에게 다가갈 수 있는 방법을 제시합니다. 출판사 선택, 계약 이해, 배포 전략, 저자 브랜딩 등 모든 과정에서 여러분이 알아야 할 중요한 내용을 다루고 있습니다. 독자와의 지속적인 관계 유지와 새로운 아이디어 발굴을 통해, 저자로서의 성장을 지속할 수 있도록 지원합니다.

저는 이 책을 통해 여러분이 글쓰기를 통해 더 많은 독자와 소통하고, 자신의 이야기를 세상에 전하며, 궁극적으로 성공적인 저자가 되기를 바랍니다. 글쓰기는 끊임없는 배움과 도전의 연속입니다.

이 책이 여러분의 글쓰기 여정에 든든한 길잡이가 되어, 창의적이고 혁신적인 방식으로 글을 쓰는 데 큰 도움이 되기를 진심으로 기원합니다. 감사합니다.

마무리 Epilogue

이제 여러분은 글쓰기와 출판의 모든 과정을 체계적으로 학습하고, 성공적인 저자로서의 첫걸음을 내딛을 준비가 되었습니다. 이 책의 여정을 통해 우리는 글쓰기의 중요성과 도전, 아이디어의 발굴과 발전, 구조와 논리의 중요성, 퇴고의 예술, 출판과 마케팅 전략까지 다양한 주제를 다루었습니다. 각 단계마다 여러분이 실천할 수 있는 구체적인 방법과 팁을 제공하여, 글쓰기와 출판의 복잡한 과정을 보다 쉽게 이해하고 적용할 수 있도록 했습니다.

글쓰기는 단순한 표현의 도구를 넘어, 자신의 생각과 감정을 세상에 전달하는 강력한 매체입니다. 글을 통해 우리는 독자와 소통하고, 자신의 목소리를 세상에 내는 법을 배웠습니다. 이 과정에서 우리는 글쓰기가 단순히 기술적인 문제가 아니라, 창의적이고 감정적인 여정임을 깨달았습니다. 글을 쓰는 과정에서 우리는 자신을 더 깊이 이해하고, 새로운 아이디어를 발견하며, 이를 통해 세상과 연결되는 기쁨을 누릴 수 있습니다.

아이디어를 발전시키고 구조화하는 과정은 독자의 이해와 몰입을 돕는 중요한 요소입니다. 체계적으로 정리된 목차와 논리적 흐름을 통해 독자는 글의 내용을 쉽게 따라올 수 있습니다. 또한, 글의 톤과 스타일, 맞춤법과 문법, 문장의 리듬과 흐름을 적절히 조절하여 독자가 읽기 쉽도록 하는 것이 중요합니다. 이러한 세부 사항들이 모여 글의 전체적인 품질을 결정짓고, 독자에게 깊은 인상을 남깁니다.

출판과 마케팅 과정은 저자로서의 활동을 더욱 풍부하게 만듭니다. 출판사를 선택하고, 출판 계약을 이해하며, 다양한 배포 채널을 통해 책을 독자에게 전달하는 과정은 저자의 노력과 열정을 요구합니다. 또한, 효과적인 마케팅과 저자 브랜딩 전략을 통해 더 많은 독자에게 책을 알리고, 강의와 후속작을 준비하여 지속 가능한 저자로서의 길을 걸어갈 수 있습니다. 독자와의 지속적인 소통과 피드백 반영은 저자로서의 성장을 지속적으로 지원합니다.

마지막으로, 이 책을 통해 배운 모든 것을 실천에 옮기는 것이 중요합니다. 여러분의 글이 독자에게 영감을 주고, 긍정적인 변화를 일으킬 수 있도록 꾸준히 노력해 주세요. 글쓰기는 끊임없는 배움과 창의성을 필요로 하는 여정입니다. 이 책이 여러분의 글쓰기 여정에 든든한 가이드가 되기를 바랍니다. 여러분의 성공적인 저자로서의 활동을 진심으로 응원합니다. 이제 여러분의 이야기를 세상에 전하고, 많은 독자들과 연결될 시간입니다. 건투를 빕니다!

2024년 06월 03일   여여 (如如) 안형렬